DELTANET

ANDRAS MILWARD

Golygydd y Gyfres:
Dr Christine Jones

Argraffiad cyntaf—1999

ISBN 1 85902 778 4

Cyhoeddwyd dan gynllun comisiynu Cyngor
Llyfrau Cymru.

Dymuna'r cyhoeddwyr gydnabod cymorth
Cyngor Llyfrau Cymru.

Argraffwyd yng Nghymru gan
Wasg Gomer, Llandysul, Ceredigion

BYRFODDAU

eg	enw gwrywaidd
eb	enw benywaidd
egb	enw gwrywaidd neu enw benywaidd
ll	lluosog
GC	gair sy'n cael ei ddefnyddio yng Ngogledd Cymru
DC	gair sy'n cael ei ddefnyddio yn Ne Cymru
medru[1]	edrychwch ar y nodiadau yng nghefn y llyfr

1

DeltaNet. Atebion syml i'ch problemau. Bob tro.'
Atseiniodd llais y cyflwynydd drwy'r sinema fach.
Aeth pawb yn dawel wrth i'r geiriau 'DeltaNet'
ymddangos mewn llythrennau mawr ar y sgrîn. Aeth y
sgrîn yn dywyll unwaith eto.

'Mae'r byd yn newid yn gyflym,' meddai llais y
cyflwynydd unwaith eto. *'Mae bywyd yn brysur.'*
'Roedd y sgrîn yn dangos pobl yn brysio trwy
strydoedd prysur, yn siarad ar ffonau symudol. Yna,
roedd y camera yn symud drwy swyddfeydd, yn dangos
dyn busnes mewn siwt dywyll yn gweithio ar
gyfrifiadur, ac wedyn yn siarad mewn cyfarfod. O fewn
munud, roedd y sgrîn yn dangos y dyn yn mynd adref.
Roedd e'n siarad ar ffôn symudol, cyn eistedd o flaen y
teledu gyda'i deulu. Y funud nesaf, roedd e'n eistedd
wrth gyfrifiadur ar ddesg yn ei gartref yn edrych ar
dudalennau'r rhyngrwyd. Roedd radio wrth ei ochr.

Roedd y cyflwynydd yn dweud: *'Mae'r byd yn llawn
gwybodaeth ac mae'n anodd cadw'r cyfan ar flaenau
eich bysedd. Teledu, radio, y rhyngrwyd, ffôn symudol –*

---

syml	simple
atseinio	to resound, echo
cyflwynydd (eg)	announcer
wrth i²	as
llythrennau (ll)	letter
meddai¹	said
brysio	to hurry
ffôn symudol (eg)	mobile phone
swyddfa (eb)	
(swyddfeydd)	office
cyfrifiadur (eg)	computer
cyfarfod (eg)	
cyfarfodydd	meeting
o fewn	within
o flaen	in front of
tudalen (eg)	page
rhyngrwyd (eb)	internet
llawn	full
gwybodaeth (eb)	information
cyfan	whole, everything
ar flaenau eich	
bysedd	at your fingertips

mae'r casgliad o offer sydd ei angen yn mynd yn fwy bob dydd.'

Aeth y sgrîn yn dywyll unwaith eto.

'Heddiw bydd hynny'n newid. Heddiw, mae'r DN Connect yn cyrraedd.'

Yn sydyn, roedd y sgrîn yn dangos yr un dyn busnes unwaith eto. Y tro hwn, roedd y camera yn agos at ei ben. Roedd bocs bach, ar gefn clust y dyn, gyda gwifren denau yn diflannu i'r glust. Symudodd y camera i lawr at un o ddwylo'r dyn. Ar ei arddwrn roedd teledu bach lliw. Symudodd y camera i ddangos bocs du yn ei law arall. Rhoddodd y dyn y bocs mewn cês lledr. Symudodd y camera yn ôl i ddangos y dyn unwaith eto. Ar y sgrîn o flaen y dyn roedd y geiriau 'DN Connect'.

'Y DN Connect,' meddai'r cyflwynydd. *'Bydd y DN Connect yn trawsnewid y byd. Mae ffôn symudol, radio, teledu a chyfrifiadur yn y DN Connect. Mae'r seinydd yn ffitio yn dwt yn y glust, ac mae meicroffôn nerthol yn y bocs bach ar gefn y glust. Mae'r sgrîn ar yr arddwrn yn gallu dangos yr amser a rhaglenni teledu. Mae e hefyd yn gyfrifiadur sydd wedi ei gysylltu â'r rhyngrwyd. Mae'r cyfan yn cael ei reoli gan lais a'r bocs du cyfleus, sy'n gallu ffitio i mewn i boced, bag neu gês.'*

casgliad (eg)	collection	*cês lledr (eg)*	leather case
offer (ll)	equipment	*trawsnewid*	to transform
sydd ei angen	which is needed	*seinydd (eg)*	speaker (music)
yr un	the same	*yn dwt*	neatly
tro (eg)	time, occasion	*nerthol*	powerful
gwifren (eb)	wire, line	*cysylltu â*	to connect with
diflannu	to disappear	*rheoli*	to control
arddwrn (eg)	wrist	*cyfleus*	convenient
rhoddodd y dyn	the man gave		

8

Roedd y ffilm yn dangos y dyn yn cerdded drwy'r ddinas. *Mae cloch y ffôn yn canu'n dawel yn y glust. Trwy ddechrau siarad, gallwch chi ateb yr alwad.'* Ar y sgrîn, roedd y dyn yn siarad.

'*Eisiau trefnu cyfarfod?'* meddai'r cyflwynydd. '*Gyda'r DN Connect, gallwch chi gysylltu â'r cyfrifiadur yn y swyddfa i edrych ar eich e-bost ac ar eich dyddiadur electronig.'* Roedd y camerâu yn dangos rhaglen e-bost ar y sgrîn deledu. '*A does dim rhaid i chi ddarllen yr e-bost. Mae'r DN Connect yn gallu ei ddarllen e drostoch chi. Mae'n adrodd y negeseuon i chi drwy'r seinydd.'*

Diflannodd y dyn oddi ar y sgrîn ac ymddangosodd bwrdd gwyn. Roedd gwahanol ddarnau'r DN Connect arno fe.

'*Mae'r DN Connect yn pwyso llai na dau gan gram. Mae'r batris yn rhedeg am dros ddeuddeg awr. Mae'r ffôn symudol yn gweithio ar dros naw deg pump y cant o arwynebedd y wlad. Mae'r teledu yn dangos pob prif sianel deledu ac mae'r radio yn gallu codi pob gorsaf. '*

Roedd y geiriau 'DN Connect' wedi ymddangos eto a'r gair 'DeltaNet' mewn llythrennau llachar. '*Y DN Connect,'* meddai'r cyflwynydd, '*gan DeltaNet. Atebion syml i'ch problemau. Bob tro.'* Aeth y sgrîn yn dywyll am y tro olaf.

cloch (eb)	ring, bell	*neges (eb)*	
trwy ddechrau	by starting	*negeseuon*	message
galwad (eb)	call	*darn (eg)*	piece
trefnu	to arrange	*pwyso*	to weigh
e-bost (eg)	e-mail	*dau gan gram*	200 grammes
drostoch chi	for you, on your behalf	*y cant*	percentage
		arwynebedd (eg)	surface, area
adrodd	to relate, report	*llachar*	shining, dazzling

Yn y tywyllwch, dechreuodd y bobl yn y sinema gymeradwyo'n frwd. O fewn munud roedd y goleuadau ymlaen a phawb yn cau eu llygaid yn y golau anghyfarwydd.

Rhedodd Ben Daniels ei law trwy ei wallt golau cyn rhwbio'i wyneb yn araf. 'Eitha slic, Alan,' meddai fe wrth y dyn yn y sedd nesaf ato fe.

'Ie, eitha slic,' atebodd Alan. Roedd e'n glanhau ei sbectol â hances bapur. 'Llwyddiant arall i'r Adran PR.'

'Pryd roedd y tro diwetha iddyn nhw fethu?' gofynnodd Ben gan wenu. 'Bydden nhw'n gallu gwerthu Beiblau i Iran.'

'Digon gwir. Wel, mae ein babi ni yn edrych yn dda. Dw i wedi bod yn gweithio ar y peth am ddwy flynedd ac wedi cael digon ohono fe, ond dw i am brynu DN Connect ar ôl gweld y ffilm 'na.'

'Fyddwn i ddim yn mynd mor bell â hynny,' meddai Ben. Distawodd e'n sydyn wrth iddo fe weld tri dyn yn agosáu atyn nhw. 'Edrycha, dyma Rodgers, gyda rhai o'r bobl bwysig, mae'n siŵr. Gwên fawr, Alan.'

Chwarddodd Alan cyn sythu ei dei. 'Paid â phoeni, bydda i'n bihafio. Ond os bydd e'n ein galw ni'n 'fechgyn' . . .'

---

cymeradwyo	to applaud	*methu*	to fail
yn frwd	enthusiastically	*gan wenu*[2]	smiling
golau (eg)		*distewi (distaw—)*	to quieten
goleuadau	light	*wrth iddo*[2]	as he
ymlaen	on	*agosáu at*	to get near to
anghyfarwydd	unfamiliar	*gwên (eb)*	smile
sedd (eb)	seat	*chwarddodd Alun*	Alun laughed
hances bapur (eb)	tissue	*sythu*	to straighten
llwyddiant (eg)	success	*tei (egb)*	tie
adran (eb)	department	*bihafio*	to behave

Distawodd Alan yn sydyn wrth i Rodgers a'r ddau ddyn arall eu cyrraedd. Roedd Rodgers, pennaeth ymchwil y prosiect Connect, yn ei bedwardegau ac yn dechrau colli ei wallt. Gwthiodd e ei sbectol drwchus yn ôl ar ei drwyn ag un bys.

'Dyma'r bechgyn sy'n bennaf cyfrifol am roi'r DN Connect at ei gilydd,' meddai Rodgers wrth y ddau ddyn arall. 'Ben Daniels ac Alan Jeffries, ein dau brif dechnegydd ar y prosiect. Ben ac Alan, dyma Ron Griffiths o'r Adran Gysylltiadau Cyhoeddus ac, wrth gwrs, Mr Trevor Donaldson.'

Ysgydwodd y dynion ddwylo. 'Pleser mawr,' meddai Ben wrth iddo fe ysgwyd llaw â Donaldson. Rhoddodd y dyn mawr arall hanner gwên. 'Nid bob dydd 'dyn ni'n gweld y Prif Reolwr yn agosach nag mewn llun yn *DeltaNet News*.'

'Mae Mr Donaldson yn ddyn prysur iawn, wrth gwrs,' meddai Ron Griffiths. Roedd ei lais yn oeraidd. Edrychodd e'n galed ar Ben. 'A rhaid cofio mai fe sy'n talu'ch cyflog chi,' meddai fe'n dawelach.

'Wel, nid fi, ond y cyfranddalwyr,' meddai Donaldson â gwên arall, broffesiynol. 'Mae'n bleser cwrdd â'r bobl oedd y tu ôl i'r prosiect o'r diwedd.

---

pennaeth (eg)	chief, head	*cysylltiadau*	
ymchwil (eb)	research	*cyhoeddus*	public relations
gwthio	to push	*ysgwyd dwylo*	to shake hands
trwchus	thick	*oeraidd*	inhospitable,
ag un bys	with one finger		offish
yn bennaf	chiefly, mainly	*mai³*	that, *taw* (DC)
cyfrifol	responsible	*cyflog (eg)*	wage, salary
at ei gilydd	together	*cyfranddalwr (eg)*	shareholder
technegydd (eg)	technician	*y tu ôl i*	behind

Mae'n ardderchog, mae'r Bwrdd yn eithriadol o hapus â'r Connect.'

'Trawsnewid y byd,' meddai Alan yn ddifrifol.

'Mae'n siŵr y bydd yn fendith i DeltaNet ar ôl y storïau am y cwmni yn y wasg,' meddai Ben. Roedd gwên fawr ar ei wyneb.

Edrychodd Donaldson yn syn ar y ddau. Sythodd e lawes ei siaced ddrud cyn i'r wên broffesiynol ymddangos unwaith eto. 'Ie, ie, wrth gwrs. Wel, braf cwrdd â chi'ch dau. Ron, gair neu ddau, os gwelwch yn dda.'

Symudodd Donaldson a Griffiths i ffwrdd gan siarad yn dawel. Edrychodd Griffiths dros ei ysgwydd tuag at Ben ac Alan unwaith cyn gadael y sinema.

'Wel diolch yn fawr,' meddai Rodgers yn sarrug. 'Trevor Donaldson a Ron Griffiths yn dod i siarad â chi, a'r ddau ohonoch chi'n chwarae'r ffŵl. Oedd rhaid i chi sôn am y storïau yn y papur newydd?'

'Ond do'n i ddim yn gallu helpu fy hunan,' meddai Ben. 'Dw i ddim yn cofio'r tro diwetha i *Mr* Donaldson ddod i weld pobl fach fel ni.' Chwarddodd e yn sydyn, gan wneud i Alan chwerthin gyda fe.

'Gallwn ni ddweud beth 'dyn ni ei eisiau,' meddai Alan. 'Mae'r *Bwrdd* yn hapus iawn.' Edrychodd Rodgers yn ddig ar y ddau am funud, cyn troi a gadael y sinema heb air.

---

yn eithriadol o	exceptionally	*cwrdd â*	to meet
yn ddifrifol	seriously	*i ffwrdd*	away
bendith (eb)	blessing, boon	*ysgwydd (eb)*	shoulder
gwasg (eb)	press	*tuag at*	towards
syn	surprised	*sarrug*	sullen
llawes (eb)	sleeve	*yn ddig*	angrily

Ochneidiodd Alan. 'Dw i ddim yn gwybod sut 'dyn ni wedi diodde Rodgers am gymaint o flynyddoedd, Pennaeth Ymchwil neu beidio.'

'Dw i'n credu mai fe sydd wedi bod yn ein diodde *ni*,' atebodd Ben. 'Dere i gael coffi, ac wedyn awn ni yn ôl i'r lab i orffen y gwaith papur.'

2

'Wnei di ddal fy nghoffi am funud?' gofynnodd Ben. 'Alla i ddim dod o hyd i fy ngherdyn.'

Cymerodd Alan gwpan coffi Ben. Chwiliodd Ben drwy ei bocedi cyn dod o hyd i gerdyn plastig bach. 'O'r diwedd,' meddai fe. Rhoddodd e'r cerdyn drwy'r bocs bach wrth ymyl drws y labordy. Agorodd y drws yn dawel. Gafaelodd Ben yn ei goffi unwaith eto ac aeth i mewn i'r ystafell fawr.

O gwmpas yr ystafell roedd bocsys cardbord mawr hanner llawn. Roedd sawl cyfrifiadur ar y byrddau gwyn llachar ac roedd tomenni o bapur wrth ochr pob un. Roedd y waliau yn llawn o frasluniau a ffotograffau Polaroid o'r DN Connect.

ochneidio	to sigh	*gafael yn*	to take hold of
diodde	to suffer	*bwrdd (eg)*	
cymaint	so many, so much	*byrddau*	table
neu beidio	or not	*o gwmpas*	around
dere (DC)	come, *tyrd* (GC)	*sawl*	several
dal	to hold, catch	*tomen (eb)*	heap, pile
dod o hyd i	to come across	*braslun (eg)*	sketch, outline
wrth ymyl	by the side of		

'Mae'n gas gen i ddiwedd prosiect,' meddai Alan gan ochneidio. 'Gormod o waith papur, gormod o bacio, gormod o lanhau. Ddysgais i ddim byd am hyn pan o'n i yn y brifysgol.'

Chwarddodd Ben wrth orffen yfed ei goffi. 'Dw i'n gwybod beth rwyt ti'n ei feddwl,' meddai fe. 'Wyt ti'n credu bod gan y Prif Reolwr syniad o beth sy'n digwydd ar ddiwedd prosiect?'

'Dim gobaith,' meddai Alan, 'ond cofia, mae'n siŵr fod y *Bwrdd* yn hapus dros ben.' Chwarddodd y ddau unwaith eto.

'Does dim osgoi'r peth,' meddai Ben. 'Wnei di orffen pacio'r DT550? Dw i'n mynd i edrych ar rai o'r ffeiliau ariannol. Mae Rodgers eisiau gweld y ffigurau am y modem Siapaneaidd eto.'

Eisteddodd Ben o flaen ei gyfrifiadur wrth i Alan symud i ran arall o'r labordy a dechrau pacio tiwbiau metel byr i mewn i focs gwag. Trodd Ben ei gyfrifiadur ymlaen. Roedd e eisiau paned arall o goffi ond doedd ganddo ddim o'r amynedd i gerdded at y peiriant diodydd unwaith eto. Chwibanodd e'n dawel i'w hunan wrth aros i'r gwahanol raglenni cyfrifiadur gychwyn.

Roedd Alan yn iawn. Roedd y DN Connect wedi cymryd dros ddwy flynedd i'w orffen ond roedd y ffilm gyhoeddusrwydd yn ddigon da i'w berswadio fe i brynu

---

mae'n gas gen i	I hate	*trodd Ben*	Ben turned
prifysgol (eb)	university	*amynedd (eg)*	patience
gobaith (eg)	hope	*peiriant*	
osgoi	to avoid	*diodydd (eg)*	drinks machine
ariannol	financial	*chwibanu*	to whistle
ffigur (eg)	figure	*cychwyn*	to start, *dechrau*
Siapaneaidd	Japanese	*cyhoeddus-*	
tiwb (eg)	tube	*rwydd (eg)*	publicity

un ei hunan. Efallai bod y tîm ymchwil wedi anghofio pa mor arbennig oedd yr offer. Wedi'r cyfan, roedd mwy na hanner awr fan hyn, mewn un o unedau ymchwil DeltaNet ar ymylon y brifddinas, yn ddigon i wneud i unrhyw un anghofio am bopeth y tu allan i waliau'r labordy.

Dechreuodd e edrych drwy'r ffeiliau oedd wedi eu storio ar rwydwaith cyfrifiadur mawr DeltaNet. Sylweddolodd Ben fod Alan yn chwibanu'r un dôn â fe erbyn hyn a gwenodd. Daeth e o hyd i'r ffeiliau roedd eu hangen arno fe, ac e-bostiodd e'r ffeiliau at Rodgers. Roedd e'n mynd i adael y rhwydwaith pan sylwodd e ar ffeil anghyfarwydd. Roedd Ben wedi treulio cymaint o amser ar y system dros y ddwy flynedd diwethaf, roedd e'n gallu adrodd rhestrau o ffeiliau o'i gof dros beint gydag Alan a gweithwyr eraill ar ddiwedd yr wythnos.

Doedd e ddim yn cofio gweld y ffeil hon o gwbl.

Agorodd e'r ffcil a dechrau darllen. Casgliad o negeseuon e-bost oedd yn y ffeil. Roedd rhai o'r negeseuon wedi dod o un o ffatrïoedd DeltaNet yn Singapore. Roedd rhai eraill wedi dod o swyddfeydd DeltaNet yn yr Unol Daleithiau. Roedd y negeseuon yn sôn am ryw ymchwil i'r DN Connect, ond doedd Ben ddim wedi clywed am unrhyw ymchwil i'r DN Connect mewn swyddfeydd eraill.

---

wedi'r cyfan	after all	*tôn (eb)*	tune
fan hyn	here	*treulio*	to spend (time)
uned (eb)	unit	*rhestr (eb)*	list
ar ymylon	on the outskirts	*o'i gof*	by heart
storio	to store	*Unol Daleithiau*	United States
rhwydwaith (eb)	network	*sôn am*	to mention
sylweddoli	to realize		

15

Darllenodd Ben ymlaen. Sylwodd e fod nifer o'r negeseuon yn cyfeirio at ffeil, Beta 337. Doedd Ben erioed wedi clywed am y Beta 337. Roedd hi'n amlwg bod gwybodaeth bwysig yn y ffeil honno ond doedd y negeseuon ddim yn dyfynnu cynnwys y ffeil yn uniongyrchol. Daeth Ben at y neges olaf. Roedd y neges hon wedi dod o swyddfa DeltaNet yn Efrog Newydd dros chwe mis yn ôl. Wrth iddo fe ddarllen, teimlodd Ben ei waed yn oeri:

> Ac felly, yn dilyn awgrymiadau swyddfa Singapore a'r wybodaeth newydd yn Beta 337, dw i'n awgrymu na ddylai DeltaNet ryddhau'r DN Connect hyd nes y gallwn ni ddweud yn fwy eglur beth yw'r 'niwed difrifol i'r defnyddiwr' mae Beta 337 yn sôn amdano. Gallai achos cyfreithiol cynnar ddinistrio lawnsiad y Connect.

> Chuck Parker, Swyddog Ymchwil, Efrog Newydd
> cparker@deltanet.ny.com

Roedd Ben wedi darllen am Chuck Parker yn *DeltaNet News*, cylchgrawn misol y cwmni. Technegydd ifanc, galluog oedd Parker. Roedd e wedi

sylwi	to notice	rhyddhau	to release
nifer o	a number of	hyd nes	until
cyfeirio at	to refer to	eglur	clear
amlwg	obvious	niwed (eg)	damage
dyfynnu	to quote	defnyddiwr (eg)	user
cynnwys (eg)	contents	achos cyfriethiol	legal case
yn uniongyrchol	directly	dinistrio	to destroy
Efrog Newydd	New York	lawnsiad (eg)	launch
gwaed (eg)	blood	cylchgrawn	
oeri	to get cold	misol	monthly
dilyn	to follow		magazine
awgrym (eg)	suggestion	galluog	capable
awgrymiadau	suggestion		

16

cael ei benodi'n swyddog ymchwil ar ôl llai na blwyddyn gyda DeltaNet. *'Dyn sy'n gallu datrys y broblem, bob tro,'* yn ôl yr erthygl yn y cylchgrawn. Beth oedd y 'niwed difrifol' roedd e wedi sôn amdano yn ei neges, neges i'r Bwrdd ym mhrif swyddfa DeltaNet ym Mhrydain?

'Alan, dere 'ma.' Darllenodd Ben y neges unwaith eto wrth i Alan groesi'r labordy at y cyfrifiadur. 'Edrych ar hwn.' Wrth i Alan edrych drwy'r ffeil yn gyflym, meddyliodd Ben am yr ymchwil. O'n nhw wedi anghofio rhywbeth? Nac o'n, roedd y rhan fwyaf o'r profion wedi cael eu gwneud yma, ac roedd Alan a Ben wedi edrych dros bopeth.

Trodd Alan at Ben. 'Dw i ddim yn deall,' meddai fe, gan ysgwyd ei ben yn araf. 'Cafodd y rhan fwyaf o'r profion eu gwneud yma. A beth yw Beta 337?'

'Yn union. Dyna beth ro'n i'n ei feddwl,' atebodd Ben yn dawel. 'Aros funud, beth am . . .'

'Ie!' meddai Alan yn gyffrous. 'Tua blwyddyn yn ôl. Aeth Rodgers ag un o'r unedau cyntaf i'r cyfarfod blynyddol yn San Francisco. Mae'n siŵr bod Chuck Parker wedi cael gafael ar y ffeiliau bryd hynny.'

'Ond pam na wnaethon *ni* glywed am unrhyw brofion eraill?' gofynnodd Ben. 'Gwnaethon ni'n siŵr bod popeth wedi ei brofi yma sawl gwaith. Roedd y canlyniadau'n dangos dim o'i le. Mae'n well i fi e-

penodi	to appoint	*blynyddol*	annual
datrys	to solve	*cael gafael ar*	to get hold of
croesi	to cross	*bryd hynny*	at that time, then
prawf (eg)		*sawl gwaith*	several times
profion	test	*canlyniadau (ll)*	results
yn union	exactly	*o'i le*	wrong
yn gyffrous	excitedly		

17

bostio Parker i weld beth sy'n digwydd. Os aiff unrhyw beth o'i le, gelli di fod yn siŵr mai ni gaiff y bai.'

'Efallai y byddai'n well i ti weld Rodgers gynta,' meddai Alan. Tynnodd e ei sbectol oddi ar ei drwyn a dechrau eu glanhau nhw â hances bapur. 'Gwell i ni aros ar ochr orau Rodgers ar ôl y cyfarfod y bore yma.'

'Ie, rwyt ti'n iawn,' meddai Ben yn sur, 'neu fydd y Bwrdd ddim yn hapus.' Gafaelodd e mewn disg oddi ar y ddesg a chopïodd e'r ffeil o negeseuon i'r ddisg. 'Cawn ni weld beth fydd gan Rodgers i'w ddweud am hyn.'

3

Edrychodd Rodgers ar Ben drwy ei sbectol drwchus. Estynnodd e am feiro a dechrau ysgrifennu nodiadau ar ddarn glân o bapur.

'Beta 337?' gofynnodd Rodgers.

'Ie,' meddai Ben. Rhoddodd e'r ddisg feddal ar ddesg Rodgers. 'Mae copi o'r ffeil arall ar y ddisg. Mae ychydig dros wythnos ar ôl cyn i ni ryddhau'r Connect ac mae'n rhaid i ni fod yn siŵr nad oes unrhyw berygl i'r defnyddwyr.'

'Yn union,' meddai Rodgers. Ysgrifennodd e frawddeg arall cyn rhoi'r beiro i lawr yn ofalus wrth ymyl y papur. Popeth yn dwt a thaclus, meddyliodd Ben, yn union fel gweddill ei swyddfa. Roedd yr ystafell yn blaen iawn. Dim ond cyfrifiadur ac un cabinet ffeiliau

---

yn sur	bitterly	*gweddill (eg)*	rest, remainder
estyn	to reach, extend	*plaen*	plain
taclus	tidy		

oedd ynddi. Dim ond un llun ac un o bosteri cyhoeddusrwydd DeltaNet oedd ar y wal. Roedd Ben yn gwybod yn iawn, fodd bynnag, bod gan Rodgers lawer yn ei ben. Dyna oedd ei gryfder e – a'i fygythiad.

'Byddai unrhyw berygl yn drychineb i DeltaNet ar y funud,' meddai Rodgers yn sydyn.

'Ac i'r defnyddwyr,' meddai Ben.

'Yn union,' atebodd Rodgers yn sych. 'Diolch am ddod ata i mor brydlon, Daniels. Edrycha i i mewn i'r mater ar unwaith. Fyddwch chi yn y labordy trwy'r dydd?'

'Ydw. Dwi'n pacio gydag Alan.'

'O'r gorau. Cysyllta i â chi yn nes ymlaen heddiw.'

'Beth ddwedodd e?' gofynnodd Alan wedi i Ben fynd yn ôl i'r labordy.

'Beth rwyt ti'n ei feddwl?' gofynnodd Ben. 'Llawer o "yn union", fy ngalw i'n "Daniels" a dweud y byddai fe'n cysylltu â fi yn nes ymlaen heddiw. Rodgers ar ei orau.'

'Doedd e ddim wedi ei synnu o gwbl?' gofynnodd Alan yn syn.

'Nac oedd. Ond dyw e byth yn dangos dim byd. Pe byddwn i'n torri ei ben e i ffwrdd, byddai'r pen yn parhau i ddweud "yn union".'

'Un oeraidd oedd Rodgers erioed, Daniels.'

Gwenodd Ben wrth i Alan ddynwared llais Rodgers. Roedd Ben ac Alan yn adnabod Rodgers ers dros chwe

---

fodd bynnag	anyhow	*yn nes ymlaen*	later on
cryfder (eg)	strength	*synnu*	to be surprised
bygythiad (eg)	menace, threat	*parhau*	to continue
trychineb (egb)	disaster	*dynwared*	to imitate
prydlon	punctual, timely		

blynedd, ond doedd Rodgers ddim yn fwy cyfeillgar heddiw nag oedd e chwe blynedd yn ôl. Serch hynny, roedd Rodgers yn gwneud ei waith fel Pennaeth Ymchwil yn ardderchog. Roedd e'n gefnogol iawn i'w dîm ac yn gwneud yn siŵr bod popeth ar gael iddyn nhw.

'Does 'na ddim y gallwn ni ei wneud am y tro,' meddai Alan. 'Ac mae yna ddigon i'w wneud fan hyn.'

Canodd y ffôn ar ôl cinio.

'Wnaeth e ddim gwastraffu unrhyw amser,' meddai Alan, gan roi'r bocs roedd yn ei bacio i un ochr a chroesi'r labordy tuag at Ben.

'Beth arall rwyt ti'n ei ddisgwyl?' gofynnodd Ben. Estynnodd e am y ffôn. 'Labordy pedwar, Daniels yn siarad.'

'A, Daniels. Rodgers 'ma. Wnewch chi ddod i fy swyddfa i? Dw i'n credu ein bod ni wedi darganfod y stori y tu ôl i'r ffeil honno. Fy swyddfa ymhen pum munud, os gwelwch yn dda.'

'Paid â dweud,' meddai Alan, wrth i Ben roi'r ffôn i lawr. '"Fy swyddfa i ymhen pum munud".'

''Dyn ni wedi bod yma yn *llawer* rhy hir,' meddai Ben. 'Wela i di nes ymlaen.'

Cerddodd Ben yn gyflym drwy goridorau DeltaNet tua swyddfa Rodgers. Doedd dim llawer o bobl yn y lle heddiw. Roedd popeth yn tawelu wrth i un prosiect orffen, ond cyn hir byddai'r lle yn brysur eto wrth i'r

---

cyfeillgar	friendly	*gwastraffu*	to waste
serch hynny	in spite of that	*disgwyl*	to expect
cefnogol	supportive	*darganfod*	to discover
ar gael	available	*ymhen*	within
am y tro	for the time being	*tawelu*	to get quiet

prosiect nesaf gychwyn. Roedd pob technegydd yn cadw ei lygaid a'i glustiau ar agor er mwyn cael bod yn rhan o'r prosiect mawr nesaf. Stopiodd Ben i siarad am funud â thechnegydd arall roedd yn ei adnabod. Doedd y technegydd ddim wedi clywed unrhyw beth am y prosiect nesaf. Trefnodd Ben i gael coffi gyda fe yr wythnos nesaf cyn brysio ymlaen.

Edrychodd e ar ei oriawr wrth iddo fe gyrraedd drws Rodgers. Arhosodd e nes i'r pum munud basio cyn rhoi cnoc ar y drws.

'Dewch i mewn.'

Agorodd Ben y drws ac aeth i mewn i'r swyddfa. 'A, Daniels, diolch am ddod,' meddai Rodgers. 'Eisteddwch.' Eisteddodd Ben yn y gadair gyferbyn â Rodgers. Roedd Rogers yn eistedd ar ochr arall y ddesg. Roedd ei gefn tuag at Ben. Edrychodd Ben dros ysgwydd Rodgers. Roedd y ddau'n edrych i gyfeiriad y brifddinas draw yn y pellter, y tu hwnt i'r swyddfeydd uchel ger y dociau. Roedd y brifddinas yn edrych fel byd arall. Jôc neu beidio, efallai ei bod hi'n wir fod Ben wedi bod gyda DeltaNet yn llawer rhy hir.

'Dw i wedi cael gair â nifer o bobl am Beta 337,' meddai Rodgers yn sydyn. Trodd e ei gadair o amgylch i wynebu Ben ac estynodd e am ddarn o bapur – yr unig ddarn o bapur – oedd ar ei ddesg. Allai Ben ddim darllen beth oedd arno fe. Edrychodd Rodgers i lawr ei drwyn ar y papur.

---

er mwyn	in order to, for the sake of	*pellter (eg)*	distance
oriawr (eb)	watch	*y tu hwnt i*	beyond
gyferbyn â	opposite	*yr unig*	the only

'Mae'n debyg mai hen ffeil yw'r un y daethoch chi ar ei thraws. Collodd Labordy Saith dipyn o'u data neithiwr. Wrth i'r staff cynorthwyol adfer y data o'r archif y bore 'ma, cafodd y data ei gopïo i'ch rhan chi o'r rhwydwaith.' Sythodd e ei sbectol. 'O ran y cynnwys – ' Eisteddodd e yn ôl a phlethu ei fysedd. 'O ran cynnwys mae'r pryderon hynny wedi eu hateb erbyn hyn. Dyw'r DN Connect ddim yn beryglus.'

'Ond pam na chlywon ni am yr ymchwil a Beta 337?' gofynnodd Ben. 'Byddai'n gwaith ni wedi bod yn fwy trylwyr pe byddwn i wedi cael gwybod amdanyn nhw. A gallwn ni fod wedi methu gweld rhywbeth gwallus yn y cynlluniau.'

'Mae arna i gywilydd dweud wrthoch chi mai fi sydd ar fai,' meddai Rodgers. 'Wnes i ddim dweud wrthoch chi a'ch cydweithwyr fod ymchwil arall yn cael ei wneud i ddefnydd o'r Connect.'

'Yng nghanol y cyffro – ' meddai Ben.

'Yn union.' Torrodd Rodgers ar ei draws. Roedd ei lais yn oeraidd. 'Dych chi ddim yn awgrymu unrhyw beth arall, nac ydych chi, Daniels?'

Rhoddodd Ben ochenaid fach. 'Nac ydw, wrth gwrs. Ond mae'r ffaith bod ymchwil annibynnol yn mynd

mae'n debyg	it seems	cynllun (eg)	plan
dod ar draws	to come across	mae arna i	
cynorthwyol	ancillary	gywilydd	I'm ashamed
adfer	to retrieve	ar fai	at fault
archif (egb)	archive	cydweithiwr (eg)	colleague
o ran	as regards	cyffro (eg)	excitement
plethu	to plait	torri ar draws	to interrupt
pryder (eg)	concern, worry	ochenaid (eb)	sigh
trylwyr	thorough	ffaith (eb)	
methu	to fail	ffeithiau	fact
gwallus	faulty	annibynnol	independent

22

ymlaen yn fy mhoeni i ac Alan. Roedd ein tîm ni yn hapus gyda'r Connect, ond os oes unrhyw reswm i amau hynny – '

'Does yna ddim rheswm i amau unrhyw beth,' meddai Rodgers yn galed. 'Dyn ni . . . Mae DeltaNet yn gwbl hapus gyda'ch gwaith chi, a diogelwch y Connect.'

'Ac felly roedd yr ymchwil arall yn cael ei wneud rhag ofn y byddai'n tîm ni yn methu gweld rhywbeth?'

'Yn union.' Trodd Rodgers tuag at sgrîn ei gyfrifiadur. 'Diolch am ddod, Daniels. Gwela i chi yn y lawnsiad, mae'n siŵr, os na wela i chi cyn hynny.'

Roedd meddwl Ben yn troi wrth iddo fe gerdded yn ôl tua'r labordy. Allai fe ddim credu bod Rodgers wedi anghofio sôn am Beta 337. Os unrhyw beth, roedd y dyn yn rhy drylwyr i anghofio rhywbeth mor bwysig â hynny. Byddai Chuck Parker yn gwybod bod y prif waith yn cael ei wneud ar y Connect yn y labordy yma. Pam nad oedd hwnnw wedi cysylltu â naill ai fe neu Alan? Pam nad oedd neb yn y labordy wedi clywed am Beta 337?

Doedd Alan ddim yn hapus chwaith pan ddwedodd Ben wrtho fe beth oedd wedi digwydd yn ystafell Rodgers.

'Dyw'r peth ddim yn taro deuddeg,' meddai'n dawel. 'Roedd Efrog Newydd yn y Grŵp Trafod cychwynnol. Maen nhw, a Singapore, yn gwybod yn iawn mai yma

amau	to doubt, to suspect	*rhag ofn*	in case
		naill ai . . . neu	either . . . or
yn gwbl hapus	completely happy	*taro deuddeg*	ring true
		trafod	to discuss
diogelwch (eg)	safety, security	*cychwynnol*	initial

roedd y prif gynllunio a phrofi yn cael eu gwneud. Wyt ti'n credu ei fod e'n cadw rhywbeth rhagddon ni? Yn enwedig ar ôl beth ddwedaist ti o flaen Donaldson a Ron Griffiths ddoe.'

'Nac ydw, byth,' meddai Ben yn siŵr. 'Mae Rodgers yn fwy proffesiynol na hynny. Fyddai fe ddim yn bygwth diogelwch y cwmni achos ein bod ni wedi chwarae'r ffŵl. Nid dyna'r tro cynta i ni ddigio Rodgers dros y blynyddoedd, rwyt ti'n gwybod hynny'n iawn.'

'Ie, dw i'n gweld dy bwynt. Beth nawr?'

'Dw i ddim yn gwybod,' atebodd Ben yn feddylgar. 'Dyw'r peth ddim yn taro deuddeg o gwbl. Fel y dwedais i, mae Rodgers yn fwy proffesiynol nag i ganiatáu i ddau grŵp ymchwil weithio'n gwbl annibynnol.'

'Drud iawn hefyd,' meddai Alan. 'Dyw'r lle yma ddim yn gwastraffu arian heb reswm da.'

'Ond pa reswm da sydd dros gael dau grŵp ymchwil?' Eisteddodd Ben o flaen ei gyfrifiadur. Agorodd e ei raglen e-bost. 'Y peth gorau i'w wneud yw cael gair â Chuck ei hunan. Y peth ola hoffwn i ei weld yn digwydd yw'r DN Connect yn methu achos bod Rodgers neu rywun wedi anghofio dweud rhywbeth wrthon ni.'

'Beth wedyn?' gofynnodd Alan wrth wylio Ben yn teipio'r neges.

'Peint, dw i'n credu. A bore fory, ffeindiwn ni Beta 337.'

---

yn enwedig	especially	*yn feddylgar*	thoughtfully
bygwth	to threaten	*caniatáu*	to allow
digio	to annoy	*ei hunan*	himself

4

Fore trannoeth, cyrhaeddodd Ben y labordy yn gynnar. Y noson cynt, yn y dafarn roedd e ac Alan wedi meddwl ac ailfeddwl am Beta 337 a'r negeseuon. Doedd y ddau ddim yn gallu cofio yr un cyfeiriad at y ffeil Beta 337 nag at unrhyw ymchwil ar y DN Connect yn unrhyw ganolfan DeltaNet ond fan hyn, yn y brifddinas. Hyd yn hyn, er nad oedd Rodgers yn gyfeillgar iawn, doedd Ben erioed wedi ei amau, ond nawr doedd e ddim mor siŵr. Roedd e hefyd yn ddig achos nad oedd e'n gwybod yn iawn pam nad oedd e mor siŵr am Rodgers.

Roedd neges gan Parker yn aros yn ei flwch post electronig:

> *Am 15:44 ysgrifennodd Ben Daniels:*
> *Dw i wedi cysylltu ffeil â'r neges hon. Allwch chi ddweud rhywbeth wrtha i am eich ymchwil chi i'r DN Connect neu i ffeil Beta 337?*
>
> *Ben Daniels*
> *Prif Dechnegydd Ymchwil, DeltaNet Prydain*

17:33 EST
Chuck Parker, Swyddog Ymchwil, Efrog Newydd
cparker@deltanet.ny.com

Ben — dim byd i boeni amdano. Hen negeseuon, hen ymchwil. Dw i'n deall gan Tony Rodgers fod y DN Connect yn gwbl ddiogel, diolch i'ch gwaith

---

fore trannoeth	the next morning	*hyd yn hyn*	so far
y noson cynt	the previous evening	*er²*	although
		gan²	from, by
ailfeddwl	to re-think	*blwch post (eg)*	post box
yr un⁷	not one	*diogel*	safe

ardderchog chi. Dw i'n edrych ymlaen at eich gweld chi yn y lawnsiad.

Chuck.

Rhy daclus o lawer, meddyliodd Ben. Dylai fe fod wedi e-bostio Parker cyn gweld Rodgers, ond efallai na fyddai wedi cael ateb o gwbl pe byddai fe wedi gwneud hynny. Ac eto, os oedd stori Rodgers yn wir, doedd yna ddim rheswm pam dylai stori Parker fod yn wahanol. Nid cynllwyn oedd yma, efallai, ond camgymeriad go iawn. Ac eto, doedd rhywbeth ddim yn taro deuddeg o hyd.

Ac roedd y 'rhywbeth' hwnnw yn glir yn neges Parker.

Dangosodd Ben y neges i Alan pan gyrhaeddodd e'r labordy rhyw awr yn ddiweddarach.

'Jiawl, dest ti mewn yn gynnar heddiw,' meddai Alan wrth ddarllen neges Parker. 'Methu cysgu?'

'Cysgais i'n iawn. Darllen y neges,' meddai Ben. Roedd Alan yn ei adnabod yn ddigon da erbyn hyn i allu gweld fod rhywbeth yn ei boeni. Yfodd Ben dipyn o'r coffi roedd Alan wedi dod ag ef i'r labordy. 'Wel, beth rwyt ti'n ei feddwl?'

'Dim,' meddai Alan gan yfed ei goffi ei hun. 'Yr un stori â Rodgers, ac os yw'r stori'n wir dyw hynny ddim yn syndod.' Pwyntiodd e at sgrîn y cyfrifiadur. 'Edrych ar yr amser hefyd. Ysgrifennaist ti dy neges am chwarter i bedwar, atebodd Parker am hanner awr wedi pump. Digon o amser i gadarnhau bod popeth yn iawn

---

edrych ymlaen at	to look forward to	*yn ddiweddarach*	later
cynllwyn (eg)	conspiracy	*syndod (eg)*	surprise
go iawn	real	*cadarnhau*	to confirm
o hyd	still		

gyda Rodgers gyda galwad ffôn ond dim digon o amser i ddechrau ar ryw gynllwyn mawr.'

'Yn union!' meddai Ben yn gyffrous. 'Dyna beth ro'n i'n ei feddwl. Ond edrych eto.' Gafaelodd Ben yn y llygoden a dileu peth o'i neges e ac ateb Parker. Darllenodd Alan.

Am 15:44 ysgrifennodd Ben Daniels:
Ben Daniels

17:33 EST
Chuck Parker, Swyddog Ymchwil, Efrog Newydd

'EST,' sibrydodd Alan. '*Eastern Standard Time*. Yr amser lleol yn Efrog Newydd.'

'Rwyt ti'n gweld, felly,' meddai Ben. Gwenodd y ddau am eiliad. 'Pum awr y tu ôl i ni. Cymerodd Parker dros saith awr i ateb y neges.'

'Ond aros funud, Ben. Mae'r dyn yn brysur. Cyfarfodydd, pethau eraill i'w gwneud. Doedd dim brys i ateb dy neges di, yn arbennig os nad oedd unrhyw berygl gyda'r Connect.'

'Dw i'n gweld dy bwynt,' atebodd Ben. 'Ac eto . . . dyw Rodgers ddim yn gwneud camgymeriadau fel hyn. Mae'r dyn yn robot. Mae e'n gwneud popeth yn ofalus ac yn drylwyr. Pryd rwyt ti'n cofio iddo fe wneud camgymeriad fel hwn?'

Ochneidiodd Alan. 'Byth, dw i'n fodlon cyfadde hynny. Ond dyw'r dyn ddim yn robot ac mae'n eitha

---

llygoden (eb)	mouse	*lleol*	local
dileu	to delete	*cyfadde*	to admit
sibrwd (sibryd-)	to whisper		

27

posib y gall hyd yn oed Rodgers anghofio gwneud rhywbeth. Rwyt ti'n dechrau swnio'n baranoid.'

'Dw i'n gwybod. Dw i'n teimlo nad yw hyn yn . . . iawn.' Edrychodd Ben ar ei gwpan coffi gwag. 'A dw i ddim yn credu'r stori honno am y data coll o Lab Saith.'

'Mae gen ti bwynt,' meddai Alan. 'Dyw hynny erioed wedi digwydd o'r blaen. Ond mae tro cynta i bopeth, i Rodgers neu i'r Staff Cynorthwyol yn yr adran IT.'

'O, dere mlaen!' meddai Ben yn ddiamynedd. 'Mae'r peth yn od iawn. Beta 337, stori Rodgers a Parker . . . dwyt ti ddim tipyn bach yn amheus?'

'Ydw, ond 'dyn ni'n sôn am DeltaNet, nid rhyw gwmni bach ceiniog a dimai. Mae peiriannau DeltaNet yn cael eu defnyddio – '

'Bron ym mhob cartre yn y wlad,' torrodd Ben ar ei draws. 'Atebion syml i'ch problemau bla-di-bla. Dw i wedi darllen y cyhoeddusrwydd hefyd. Alan, dw i'n synnu atat ti. Ro'n i'n credu y byddet ti'n fwy amheus na hyn. Rwyt ti wedi darllen beth sydd wedi bod yn y papurau am DeltaNet yn ddiweddar – '

'Hei, aros funud,' atebodd Alan yn ddig. 'Ddwedais i ddim nad o'n i'n amheus. A dw i wedi darllen y papurau. Efallai bod pethau od yn mynd ymlaen yn DeltaNet, ond cyn i ni wneud unrhyw beth dwl mae'n rhaid i ni fod yn hollol siŵr o'r ffeithiau.'

'Ie, rwyt ti'n iawn,' meddai Ben yn dawelach. 'Mae'n ddrwg gen i am golli fy nhymer ond gyda dim

hyd yn oed	even	*cwmni ceiniog*	
swnio	to sound	*a dimai*	amateur outfit
gwag	empty	*synnu at*	to be surprised at
coll	lost	*yn ddiweddar*	recently
yn ddiamynedd	impatiently	*dwl*	crazy
amheus	suspicious		

ond wythnos ar ôl cyn lawnsio'r Connect mae hyn yn digwydd.'

'Dw i'n deall yn iawn, paid â phoeni.' Cododd Alan bensel oddi ar y ddesg. Trawodd e fe'n ysgafn ar sgrîn y cyfrifiadur. 'Fan hyn y dylen ni ddechrau edrych. Beta 337. Dyna'r allwedd i'r cyfan. Rwyt ti'n gwybod dy ffordd o gwmpas y rhwydwaith yn well na fi. Os wyt ti eisiau dechrau edrych, gwna i gario ymlaen â'r gwaith papur a phacio.'

'Iawn,' meddai Ben. 'Coffi arall, gynta?'

'O'r gorau.'

Gafaelodd Ben yn y cwpanau coffi a cherdded tua drws y labordy. Agorodd y drws o'i flaen cyn iddo fe ei gyrraedd e. Roedd dau o warchodwyr diogelwch DeltaNet yn sefyll yno yn eu dillad tywyll.

'Ben Daniels?' gofynnodd un ohonyn nhw.

'Ie, fi yw Ben.'

'Mae ganddon ni orchmynion i fynd â chi o'r adeilad ar unwaith. Wnewch chi gasglu'ch côt a'ch eiddo personol chi ar unwaith? Gofynnwn i chi adael unrhyw beth sy'n eiddo i DeltaNet yma.'

Rhoddodd Ben y cwpanau coffi i lawr ar fwrdd. 'Beth ar y ddaear dych chi'n ei feddwl?' Daeth Alan at y drws a safodd e y tu ôl i Ben.

'Mae ganddon ni orchmynion i fynd â chi o'r adeilad 'ma – ' dechreuodd y gwarchodwr.

Clywon ni hynny y tro cynta,' meddai Alan yn ddiamynedd. 'Pwy roddodd y gorchymyn?'

taro (traw-)	to strike	*gorchymyn (eg)*	order, command
ysgafn	light	*eiddo (eg)*	property
allwedd (eb)	key	*casglu*	to collect
gwarchodwr (eg)	guard	*daear (eb)*	earth

'Y Pennaeth Diogelwch,' atebodd y gwarchodwr yn swta. 'Dewch ymlaen, Mr Daniels, neu bydd rhaid i ni ddefnyddio grym corfforol.'

'Fydd yna *ddim* angen unrhyw beth fel hynny,' meddai Alan gan godi ei lais. Trodd e at Ben a siaradodd e'n dawelach. 'Reit, rwyt ti'n ennill. Mae rhywbeth od yn digwydd. Beth wnei di?'

'Dw i ddim yn gwybod,' meddai Ben yn dawel. 'Estyn fy nghôt i fi. Gadawa i'n dawel am y tro. Wnei di fynd at Rodgers a ffeindio mas beth ar y ddaear sy'n digwydd?' Gafaelodd Ben yn ei gôt a'i fag. 'Ffeindia mas beth yw'r cyhuddiad. Ffonia fi. A ffeindia'r ffeil yna.'

'Galla i ddweud wrthoch chi nawr beth yw'r cyhuddiad,' meddai'r gwarchodwr, gan gerdded gyda Ben tua'r drws.

'Ysbïo diwydiannol.'

5

Canodd y ffôn. Rhoddodd Ben y papur newydd roedd yn ei ddarllen i un ochr. Cododd e a chroesi ei ystafell fyw i'w ateb.

'Helô?'

'Ben, Alan sydd yma. Sut rwyt ti?'

Eisteddodd Ben ar y gadair freichiau agosaf. 'Dw i'n

---

yn swta	curtly, abruptly	*ysbïo*	
grym		*diwydiannol*	industrial
corfforol (eg)	physical force		espionage
cyhuddiad (eg)	accusation		

iawn, mwy neu lai. Mae popeth yn dipyn o sioc o hyd. Glywaist ti unrhyw beth?'

'Do. Ces i sgwrs â Rodgers. Wel, ces i alwad i ddod i'w swyddfa fe tua hanner awr wedi i ti adael ddoe. Maen nhw wedi dy gyhuddo di o ladrata syniadau DeltaNet er mwyn eu gwerthu nhw i'n cystadleuwyr ni, Ben.'

Ochneidiodd Ben. Roedd hi'n dechrau bwrw glaw yn drwm. Syllodd e am funud ar y dafnau mawr yn bwrw'r ffenestr cyn dweud unrhyw beth.

'Ben? Wyt ti 'na?'

'Ydw. Alan, gelli di fy ngalw i'n baranoid unwaith eto, ond dw i'n credu fod hyn oll yn dangos fod yna rywbeth o'i le ar y Connect. Damio . . . Ddwedodd Rodgers unrhyw beth am dystiolaeth yn fy erbyn i?'

'Wel, dwedodd Rodgers dy fod ti'n rhoi cynlluniau'r Connect i 'un o'n prif gystadleuwyr ni', ac wedi bod yn gwneud hynny ers misoedd, ac mae'r dystiolaeth yn bendant a chlir, yn ôl Rodgers. Mae'n debyg y bydd rhywun yn cysylltu â ti heddiw.'

'Dyna beth ddwedodd y Pennaeth Diogelwch ddoe wrth i fi gael fy nhaflu mas. Dw i wedi siarad â fy nghyfreithiwr Alec Giles. Mae e'n aros i glywed mwy gan DeltaNet a'r heddlu. Dw i wedi cael gorchmynion

---

cadair		*hyn oll*	all this
freichiau (eb)	armchair	*tystiolaeth (eb)*	evidence
mwy neu lai	more or less	*yn fy erbyn i*	against me
lladrata	to steal	*pendant*	definite
cystadleuwr (eg)	competitor	*taflu ma's*	to throw out,
syllu	to gaze, to stare	*taflu allan*	
dafn (eg)	drop	*cyfreithiwr (eg)*	solicitor

31

gan yr heddlu i aros gartref am y tro.' Oedodd Ben am eiliad cyn siarad eto. 'Wyt ti'n credu Rodgers?'

Chwarddodd Alan. 'Ddim am eiliad! Ben, dw i'n dy adnabod di'n dda, efallai'n well na neb, a dw i'n hollol siŵr nad dyna dy steil di. A hefyd, 'dyn ni ddim wedi treulio mwy nag awr ar ein pennau ein hunain yn y lab uffernol hwn.'

'Diolch.'

'Paid â diolch i fi, mae'r peth yn amlwg. Ac rwyt ti'n iawn, dw i'n credu fod hyn yn dangos fod yna rywbeth o'i le ar y Connect, ond alla i ddim gweld sut y gallwn ni brofi hynny.'

'Yn hawdd, Alan. Trwy ddarganfod Beta 337.'

'Sut?'

'Dy dasg di yw hynny. Ti sydd yn gallu defnyddio rhwydwaith DeltaNet, nid fi. Ceisiais i gysylltu o'r tŷ heddiw ond maen nhw wedi dileu fy enw i oddi ar y rhwydwaith yn barod. Mae'n rhaid i ti geisio dod o hyd i bethau eraill i gefnogi ein hamheuon ni hefyd.'

'Iawn. E-bostia i gopi o'r ffeil negeseuon y ffeindiaist ti. Mae'n rhaid i fi fod yn ofalus, cofia. Mae yna fwy o warchodwyr diogelwch yn crwydro'r lle. Mae hynny i'w ddisgwyl gyda'r lawnsiad mor agos, ond serch hynny . . . Ac mae Rodgers i mewn a mas fel io-io – ar y gair, dyma fe. Gwell i fi fynd.'

---

oedi	to hesitate	*cefnogi*	to support
eiliad (egb)	second	*ein hamheuon ni*	our suspicions
yn hollol	completely	*crwydro*	to wander, roam
ar ein pennau		*i'w ddisgwyl*	to be expected
ein hunain	on our own	*io-io*	yo-yo
uffernol	hellish	*ar y gair*	what did I say?
tasg (eb)	task, job		

Rhoddodd Ben y ffôn i lawr. Rhwbiodd e ei wyneb yn flinedig ac eisteddodd yn ôl yn y gadair. Doedd e ddim yn gallu credu'r peth. Roedd e wedi bod blynyddoedd gyda DeltaNet ar ôl graddio o'r brifysgol ac nawr . . . hyn. Doedd Ben erioed wedi amau dim byd am DeltaNet, er gwaethaf yr erthyglau papur newydd oedd yn dweud yn wahanol.

Safodd e yn sydyn. Wrth gwrs, yr erthygl yna! Chwiliodd e drwy'r domen o bapurau newydd wrth ochr y teledu. Daeth e o hyd i'r copi roedd e ei eisiau. Yn y gegin, llenwodd e'r tegell a'i roi i ferwi cyn agor y papur newydd ar y bwrdd. O dan ffotograff o Brif Swyddfa DeltaNet yn y Ddinas – tŷ enfawr o wydr llachar – roedd y pennawd:

DeltaNet: y gwir y tu ôl i'r gwydr
gan Julie Perkins

'Mae'n peiriannau ni ym mhob cartref yn y wlad.' Dyna honiad mawr DeltaNet yn eu deunydd cyhoeddusrwydd. Efallai nad ydyn nhw'n honni gormod. Wedi'r cyfan, mae'r erthygl hon yn cael ei hysgrifennu ar un o gyfrifiaduron DeltaNet ac mae un o'u ffonau symudol nhw ar y ddesg wrth fy ochr. Ond oes yna fwy i'r cwmni eithriadol o lwyddiannus hwn na deunydd cyhoeddusrwydd slic?'

---

yn flinedig	wearily	*gwir (eg)*	truth
graddio	to graduate	*honiad (eg)*	allegation,
erthygl (eb)	article		pretention
twˆr (eg)	tower	*deunydd (eg)*	material
gwydr (eg)	glass	*llwyddiannus*	successful
pennawd (eg)	headline		

Darllenodd Ben weddill yr erthygl cyn gwneud paned o goffi. Roedd DeltaNet wedi cwyno am yr erthygl yr un diwrnod roedd hi wedi ymddangos ac wedi bygwth y papur newydd ag achos cyfreithiol am enllib. Roedd Ben yn amau na fyddai'r peth yn cyrraedd y llys o gwbl. Roedd yr erthygl wedi ei hysgrifennu'n ofalus dros ben. Roedd Julie Perkins dim ond yn dyfynnu o erthyglau a storïau eraill yn y newyddion, a doedd hi byth yn gwneud honiadau newydd neu annibynnol. Roedd ei herthygl hi'n ddigon i godi amheuon ynglŷn â'r cwmni heb ddweud unrhyw beth newydd:

DeltaNet yn gyfrifol am lygredd yn y Trydydd Byd
...afiechydon rhyfedd mewn trefi yn agos i rai o
ffatrïoedd DeltaNet yn yr Unol Daleithiau...
gweithwyr yn dioddef o gancr mewn unedau
ymchwil yn y Dwyrain Pell...cwmnïau eraill yn
cwyno bod DeltaNet yn cystadlu'n annheg yn y
farchnad...

Roedd y storïau'n ddigon cyfarwydd i Ben. Roedd Julie Perkins, y gohebydd, yn enw cyfarwydd iddo fe ac i bawb arall yn DeltaNet. Roedd hi wedi bod yn ysgrifennu erthyglau fel hyn am flynyddoedd ac roedd nifer o'r erthyglau roedd hi wedi eu dyfynnu wedi eu hysgrifennu ganddi hi. Roedd y papurau newydd roedd

cwyno am	to complain about	afiechyd (eg)	ailment, sickness
enllib (eg)	libel	cancr (eg)	cancer
llys (eg)	court	Dwyrain	
dros ben	exceedingly, extremely	Pell (eb)	Far East
		cystadlu	to compete
ynglŷn â	about	yn annheg	unfairly
llygredd (eg)	pollution	cyfarwydd	familiar
		gohebydd (eg)	reporter

hi wedi gweithio drostyn nhw wedi gorfod talu symiau mawr o arian i DeltaNet ar hyd y blynyddoedd mewn achosion enllib. Serch hynny, roedd hi'n parhau i ysgrifennu erthyglau yn pardduo enw DeltaNet. Roedd rhaid i Ben gyfaddef, roedd Julie'n fwy gofalus wrth ysgrifennu am DeltaNet y dyddiau hyn.

Gan feddwl am yr erthygl cerddodd Ben i gornel yr ystafell fyw a throdd e'r cyfrifiadur ymlaen. Wrth aros i'r cyfrifiadur gychwyn, taflodd Ben olwg o amgylch yr ystafell fyw. Fyddai fe'n gallu cadw ei fflat? Roedd e'n weddol siŵr na fyddai llys yn ei gael e'n euog ond doedd e ddim mor siŵr y byddai fe'n llwyddo i ddod o hyd i swydd gystal. Roedd DeltaNet yn ddigon nerthol i'w gadw rhag gweithio yn yr un maes am flynyddoedd, os nad gweddill ei fywyd, roedd e'n gwybod hynny. Heb arian da DeltaNet, byddai'n rhaid iddo fe roi'r gorau i'r fflat hon yn un o ardaloedd ffasiynol y brifddinas. Rhoddodd e ochenaid uchel arall cyn troi at y cyfrifiadur. Efallai nad arian oedd y peth pwysig, am y tro, ond diogelwch defnyddwyr y DN Connect.

Roedd Alan wedi e-bostio'r ffeil negeseuon ato fe gyda nodyn byr:

Rodgers ar y warpath heddiw. Dw i ddim yn meddwl bod llawer o dystiolaeth go iawn ganddyn nhw. Mae llawer o siarad yn mynd ymlaen ond fawr mwy na

gorfod	to be obliged	*euog*	guilty
swm (eg) symiau	sum	*llwyddo*	to succeed
ar hyd	throughout	*swydd gystal*	as good a job
pardduo	to malign,	*rhoi'r gorau i*	to give up
	to blacken	*cadw rhag*	to keep from
golwg (eb)	look, glance	*rhoi'r gorau i*	to give up
gweddol	quite		

hynny. Dw i'n destun ymchwiliad mewnol hefyd—
mae'n cadw bywyd yn ddiddorol! Ceisia i gysylltu'n
fuan, gwell peidio ag e-bostio rhag ofn bod rhywun
yn darllen y negeseuon ar y ffordd.

Copïodd Ben y ffeil i'w ddisg galed cyn codi'r ffôn
eto.
'Helô? Desg y Standard, os gwelwch yn dda . . . ie,
iawn . . . arhosa i.'
'Helô? Diolch. Julie Perkins, os gwelwch yn dda.'

6

Roedd gwraig ifanc yn eistedd yn y gadair freichiau
roedd Ben wedi eistedd ynddi yn gynharach y bore
hwnnw. Roedd hi'n sychu ei gwallt â thywel.
'Diolch am y tywel,' meddai hi wedi iddi hi orffen.
Rhoddodd hi'r tywel ar fraich y gadair a rhwbio ei llaw
hi drwy ei gwallt byr, coch. 'Un fantais o dorri fy
ngwallt yn fyr yw fy mod i'n gallu ei sychu'n gyflym.'
'Call iawn,' meddai Ben, 'Yn arbennig gyda'r
tywydd yn y wlad hon.' Arhosodd Ben iddi hi yfed
tipyn o'i choffi. Roedd Julie Perkins wedi cyrraedd llai
na dwy awr ar ôl iddo fe siarad â hi y bore hwnnw.
Nawr ei bod hi wedi cyrraedd doedd fawr o awydd arno
fe am ryw fân siarad.

---

testun (eg)	subject	*mantais (eb)*	advantage
ymchwiliad (eg)	investigation	*call*	sensible
mewnol	internal	*awydd (eg)*	desire
yn gynharach	earlier	*mân siarad*	small talk

'Dw i'n gweld eich bod chi eisiau dechrau,' meddai Julie yn sydyn, gan osod ei chwpan hi ar y bwrdd coffi. 'Dw i eisiau dechrau hefyd. Mae hon yn swnio'n stori ardderchog.' Estynnodd hi am bapur a beiro o'i bag hi.

Teimlodd Ben ei hun yn cochi. 'Ydy e mor amlwg â hynny?' Gwenodd e'n sydyn. 'Dw i'n dechrau teimlo bod popeth yn amlwg i bawb ond fi.'

Gwenodd Julie. 'Mae'r teimlad yn un cyfarwydd. Ta waeth. DeltaNet. Maen nhw wedi eich cyhuddo chi o ysbïo diwydiannol?'

'Ydyn. Ond dw i ddim wedi gweld y dystiolaeth eto. Dw i'n amau a wela i'r dystiolaeth chwaith.' Oedodd Ben.

'Rhywbeth yn bod?' gofynnodd Julie.

'Wel . . .'

'Dych chi ddim mor siŵr pam gwnaethoch chi fy ffonio erbyn hyn. Dw i'n gweld oddi wrth eich wyneb fy mod i'n iawn. Mae'n rhywbeth dw i'n gyfarwydd iawn â fe. Mae'n digwydd i lawer o gyn-weithwyr DeltaNet. Yn cael cam, yn galw'r papurau ac yna'n ailfeddwl.' Edrychodd Julie yn frysiog o amgylch yr ystafell fyw. 'Mae ganddoch chi ddigon i'w golli. Fflat hyfryd mewn ardal dda – '

'Ie, ie,' torrodd Ben ar ei thraws, 'Dych chi wedi gwneud eich pwynt. Dych chi bron yn gywir.'

'Bron?'

---

cochi	to go red, to blush	*chwaith*	either
		cyn-weithiwr (eg)	ex-worker
ta waeth	anyway,	*cael cam*	to be wronged
beth bynnag		*yn frysiog*	hurriedly, hastily
a wela i	whether I will see		

'Ro'n i'n gobeithio darganfod mwy am DeltaNet, rhywbeth y gallwn ni ei ddefnyddio yn eu herbyn nhw,' meddai Ben.

Chwarddodd Julie yn uchel ac ysgydwodd hi ei phen. 'Dim gobaith, Ben. Pe byddai gen i y "rhywbeth" hwnnw, byddwn i wedi ei brintio fe amser hir yn ôl. Os dych chi wedi darllen fy erthyglau dych chi'n gwybod cymaint â fi. Y broblem yw dod o hyd i'r dystiolaeth, y "rhywbeth" arbennig hwnnw.'

'Felly pam dych chi'n parhau i ysgrifennu'r holl erthyglau hynny?'

'Dangosa i i chi, os gwnewch chi ganiatáu.' Rhoddodd Ben nòd fach a chododd Julie o'i chadair a sythu ei siwt fusnes lwyd. Estynnodd hi i lawr at ei choes chwith a dechrau tynnu gwaelod ei throwsus i fyny. 'Gobeithio nad oes stumog wan gyda chi,' sibrydodd hi.

Cymerodd Ben anadl ddwfn. Roedd coes Julie yn ymddangos yn normal, coes denau a fyddai'n ddeniadol i nifer – heb y creithiau dwfn, tywyll oedd ar hanner gwaelod ei choes. Roedd hi'n ymddangos fel pe byddai'r goes wedi ei rhoi mewn cymysgydd bwyd cyn iddo fe gael ei roi eto ar gorff Julie. Gadawodd Julie i goes ei throwsus gwympo'n ôl i'w le. Sythodd hi ei siwt cyn eistedd i lawr unwaith eto. Gollyngodd Ben yr anadl roedd yn ei ddal.

cymaint â	as much as, as many as	craith (eb) creithiau	scar
caniatáu	to permit, to allow	cymysgydd bwyd (eg)	food mixer
gwaelod (eg)	bottom	ailosod	to replace, reset
stumog (eb)	stomach	corff (eg)	body
anadl (egb)	breath	i'w le	to its place
deniadol	attractive	gollwng (gollyng-)	to let go

'Dyna pam dw i'n ysgrifennu'r holl erthyglau hynny, Ben,' meddai Julie'n dawel. 'Ro'n i'n gweithio yn yr Unol Daleithiau ar fy stori gynta am DeltaNet. Roedd pobl rhyw dre fach yn y Fowlen Lwch yn diodde o nifer eithriadol o uchel o afiechydon. Roedd un o ffatrïoedd DeltaNet wrth ymyl y dre. Ro'n i'n eitha siŵr bod y dystiolaeth oedd gen i yn ddigon cryf i gau'r lle.' Cododd hi am ei bag oddi ar y llawr. 'Ga i smygu?'

Rhoddodd Ben nòd fach arall. Gwyliodd Julie yn cynnau sigarét heb ddweud gair. Ysgydwodd e ei ben pan gynigiodd hi'r pecyn iddo fe.

'Call iawn,' meddai Julie â gwên fach. 'Mae'r byd yn lle digon peryglus. Ta waeth. Roedd hi'n amlwg bod DeltaNet yn credu hynny hefyd. Ces i fy nghuro gan rywrai wrth adael bar yn y dre un noson. Ffeindiais i byth mas pwy wnaeth. Pan es i 'nôl i weithio ar y stori ces i ddamwain car. Dw i ddim yn cofio'n iawn hyd heddiw beth ddigwyddodd. Heblaw am un peth.' Cymerodd hi anadl ddwfn o'i sigarét. 'Tynnodd rhywun fi o'r car. Roedd fy nghoes mewn poen yn barod ac yna safodd rhywun arni hi, gan fy rhybuddio i 'gadw draw'. Tra fy mod i yn yr ysbyty, cafodd fy nodiadur ei ladrata a phob disg a llyfr nodiadau. Hyd yn oed y rhai ro'n i wedi eu cuddio mor ofalus ag y gallwn i.

Bowlen Lwch	Dust Bowl	*heblaw*	besides
pecyn (eg)		*yn barod*	already
pecynnau	package	*rhybuddio*	to warn
cynnig (cynig-)	to offer	*cadw draw*	to keep away
curo	to beat	*tra*	whilst
rhywrai	some (ones)	*cyfrifiadur*	
damwain (eb)	accident	*glin-fwrdd (eg)*	lap-top
hyd heddiw	up to today	*cuddio*	to hide

'Des i 'nôl i Brydain, ac er fy mod i'n parhau i ysgrifennu am DeltaNet, dw i ddim wedi llwyddo i gasglu tystiolaeth debyg.'

'Sut ro'ch chi mor siŵr mai DeltaNet oedd y tu ôl i'r pethau hynny?' gofynnodd Ben. Roedd ei geg yn sych.

'Rwyt ti'n gofyn hynny ar ôl beth ddigwyddodd i ti?' gofynnodd Julie yn syn.

'Dw i'n gweld dy bwynt,' atebodd Ben. Roedd ei ben yn troi ar ôl clywed y stori.

'Pan lwydda i i ddangos y math o gwmni yw DeltaNet, ca i driniaeth i wella rhywfaint ar olwg fy nghoes. Hyd hynny, mae'n fy atgoffa i i gario ymlaen.' Edrychodd hi trwy fwg y sigarét ar Ben. 'Wel?'

'Wel beth?' gofynnodd Ben. 'Mae'r peth yn ofnadwy.'

Ysgydwodd Julie ei phen yn ddiamynedd. 'Wyt ti eisiau siarad â fi neu wyt ti'n mynd i fod fel pob un arall? Wyt ti'n mynd i golli dy lais ar y funud ola?' Diffoddodd hi ei sigarét ar y pecyn.

'Mae'n ddrwg gen i, dylwn i fod wedi nôl soser lwch.' Safodd Ben yn araf. 'Iawn, cawn ni goffi arall a dweda i bopeth wrthot ti.'

Hanner awr wedyn, roedd Ben wedi esbonio'r cyfan i Julie.

'Beth wnawn ni nawr?' gofynnodd Ben gan chwarae â'i gwpan coffi gwag. Hen arfer drwg, meddyliodd e. Rhoddodd e fe i lawr yn galed ar y bwrdd coffi.

tebyg	similar	*mwg (eg)*	smoke
math (eg)	type, sort	*diffodd*	to extinguish,
triniaeth (eb)	treatment		put out
gwella	to improve	*nôl*	to fetch
rhywfaint	a little	*soser lwch (eb)*	ashtray
hyd hynny	until then	*esbonio*	to explain
atgoffa	to remind		

Neidiodd Julie dipyn bach yn ei sedd. 'Byddwn i'n rhoi'r gorau i'r coffi am y tro, Ben.' Rhoddodd hi hanner-gwên fach arall i Ben. 'Ta waeth, alla i wneud dim byd heb dystiolaeth. Os defnyddia i'r stori hon nawr, chei di ddim o dy swydd yn ôl, chwaith.'

'Dw i ddim yn credu y ca i fy swydd yn ôl beth bynnag fydd yn digwydd,' meddai Ben. 'Ond dw i ddim eisiau mynd i'r carchar am rywbeth nad ydw i wedi ei wneud.'

'Mae DeltaNet yn gallu bod yn glyfar. A gall DeltaNet wneud pethau gwaeth na charchar i ti,' meddai Julie'n dawelach, gan gnoi ei gwefusau. 'Ond mae angen y dystiolaeth arna i.'

'O'r gorau. Ffonia i Alan. Fe yw fy unig obaith am dystiolaeth. Mae gen i ffeil gyda'r negeseuon y soniais amdanyn nhw yn gynharach ond mae angen un peth arall i wneud i'r cyfan sticio.'

'Beta 337.'

'Ie, yn union. Ffonia i fe nawr.'

Estynnodd Julie am sigarét arall. Y tro hwn gwnaeth Ben yn siŵr fod soser lwch o'i blaen hi. 'Gwell i ti frysio. Mae DeltaNet yn gallu symud yn gyflym.'

Roedd Ben yn mynd i ofyn beth roedd Julie yn ei feddwl pan atebodd Alan y ffôn. Ymhen rhyw hanner munud rhoddodd e'r ffôn i lawr yn araf.

'Dw i'n gweld,' meddai Ben yn feddylgar.

'Beth?' gofynnodd Julie.

'Dw i'n gweld bod DeltaNet yn gallu symud yn gyflym. Dyw Alan ddim yn fodlon helpu. Mae'n dweud na all e helpu o gwbl, fod ganddo ormod i'w golli.

carchar (eg)	prison	*gwefus (eb)*	lip
cnoi	to bite	*o'r gorau*	all right, o.k.

Maen nhw wedi ei ddal e'n ceisio ffeindio Beta 337 ar rwydwaith cyfrifiadurol DeltaNet.'

7

Y noson honno stopiodd Ben ei gar o flaen tŷ Alan. Roedd ei ben e'n troi. O fewn yr ychydig oriau diwethaf, roedd DeltaNet wedi cysylltu ag Alec Giles, cyfreithiwr Ben. Doedd y cwmni ddim wedi ei gyhuddo'n ffurfiol eto ond roedden nhw wedi awgrymu'n gryf na ddylai Ben adael y ddinas. Roedd Alec wedi gofyn i Ben adael ei basport gyda fe fel arwydd o gydweithrediad parod. Byddai hynny'n rhoi'r hawl iddo fe adael y tŷ ac, am y tro, fyddai'r heddlu yn gwneud dim nes i DeltaNet gynnig tystiolaeth bendant i'r CPS.

Roedd y cyfan yn gwneud i Ben feddwl unwaith eto nad oedd gan DeltaNet unrhyw dystiolaeth bendant yn ei erbyn, a'u bod nhw'n oedi gwneud unrhyw beth tan ar ôl y lawnsiad. Pan alwodd Ben heibio i swyddfa Alec, roedd Alec wedi awgrymu hefyd nad oedd gan DeltaNet fawr o achos yn ei erbyn e. Roedden nhw'n honni eu bod nhw'n 'parhau i gasglu tystiolaeth'. Penderfynodd Ben beidio â dweud dim am Beta 337 am y tro, er gwaethaf y ffaith bod Alec yn pendroni pam fod DeltaNet wedi gwneud cyhuddiad yn erbyn Ben. Pe gallai fe gael gafael ar Beta 337, roedd Ben yn siŵr y byddai pobl DeltaNet yn newid eu meddwl.

rhwydwaith cyfrif-		*cydweithred-*	
iadurol (eg)	computer	*iad (eg)*	co-operation
	network	*hawl (eb)*	right
ffurfiol	formal	*pendroni*	to puzzle
arwydd (eg)	sign	*pe gallai[6]*	if (he) could

Ond doedd e ddim mor siŵr y gallai fe gael gafael ar Beta 337 erbyn hyn – ar ôl i Alan wrthod helpu mor sydyn. Ar ôl gadael swyddfa Alec Giles, penderfynodd Ben yrru draw i siarad ag Alan, i weld a oedd e'n gallu newid ei feddwl.

Ar y ffordd drwy strydoedd prysur y ddinas, pendronodd e dros bopeth oedd wedi digwydd. Doedd e erioed wedi amau DeltaNet. Roedd e'n gwybod yn iawn bod gan y cwmni ei feiau, ond pa gorfforaeth fawr oedd yn ddi-fai heddiw? Yn ystod ei amser gyda DeltaNet, roedd popeth wedi ymddangos yn ddigon clir ac agored, heb yr un awgrym o gyfrinachau. Gwenodd e'n sur. Wrth gwrs, pe byddai rhai pethau'n gyfrinachol . . . Mewn gwirionedd, doedd Ben erioed wedi cymryd yr erthyglau papur newydd a'r storïau newyddion o ddifrif. Roedd y corfforaethau mawr yn destun erthyglau tebyg bob dydd. Roedd rhaid i rywun weithio iddyn nhw, roedd Ben yn arfer ei ddweud.

Ac roedd rhaid i rywun chwythu'r chwiban.

Cerddodd Ben i fyny llwybr Alan tua'r drws blaen. Roedd Alan yn byw gyda'i wraig Jane a thri o blant mewn tŷ mawr ger y comin yng ngogledd-orllewin y brifddinas. Pe byddai ei berthynas gyda Liz wedi gweithio, efallai y byddai fe'n byw mewn tŷ tebyg, meddyliodd Ben. Roedd pwysau gwaith prosiect y Connect wedi bod yn ormod i'r berthynas. Ac eto,

draw	over	*testun (eg)*	subject, topic
bai (eg) beiau	fault	*chwythu'r*	
corfforaeth (eb)	corporation	*chwiban*	to blow the
di-fai	faultless		whistle
cyfrinach (eb)	secret	*blaen (eg)*	front
mewn gwirionedd	in fact	*comin (eg)*	common (ground)
o ddifrif	seriously	*pwysau (eg)*	pressure, stress

efallai bod yna fwy i'r mater na hynny. Nid DeltaNet oedd yn gyfrifol am bob methiant yn ei fywyd, meddyliodd Ben.

Alan ei hun agorodd y drws. 'Ben.'

'Rwyt ti'n swnio fel pe byddet ti'n disgwyl amdana i,' meddai Ben.

Edrychodd Alan y tu ôl iddo fe am eiliad cyn troi tuag at Ben eto. Roedd sŵn chwerthin ar raglen deledu i'w glywed o'r ystafell fyw.

'Dwyt ti ddim yn mynd i fy ngwahodd i mewn, 'te,' meddai Ben.

'Nac ydw. Gwranda Ben, beth rwyt ti ei eisiau? Fel dwedais i ar y ffôn, alla i ddim helpu mwy. Maen nhw'n fy ngwylio i'n ofalus.'

'Nhw?'

'Rwyt ti'n gwybod yn iawn beth dw i'n ei feddwl. DeltaNet, y cwmni. Mae gen i ormod i'w golli, Ben. Y plant . . . mae'n rhaid i fi edrych ar ôl y plant a Jane. Does gen ti neb i boeni amdano, dim ond dy hunan.'

Gwenodd Ben yn sur. 'Ro'n i'n meddwl am hynny funud yn ôl. Diolch am fy atgoffa i. Felly dyna ni, diwedd y stori?'

'Mor bell â dw i yn y cwestiwn,' atebodd Alan gan godi ei ysgwyddau.

'Ond beth am Beta 337?' gofynnodd Ben. 'Ffeindiaist ti unrhyw beth?'

Oedodd Alan am funud. Roedd yn mynd i ddweud rhywbeth pan edrychodd e'n sydyn dros ysgwydd Ben. Trodd Ben i weld car tywyll wedi ei barcio y tu ôl i'w gar e ar y stryd. Doedd e ddim yn gallu gweld pwy

---

methiant (eg)	failure	*gwahodd*	to invite
disgwyl	to wait, expect	*mor bell â*	as far as

oedd yn y car. Yn sydyn, cychwynnodd y car a gyrru i ffwrdd. Trodd Ben yn ôl ond roedd Alan wedi dechrau cau'r drws.

'Fel y dwedais i, maen nhw'n fy ngwylio i yn ofalus. Paid â galw 'ma eto,' meddai Alan wrth iddo fe gau'r drws.

Syllodd Ben ar y drws. Roedd ei galon yn suddo. Doedd e erioed wedi meddwl y byddai Alan, o bawb, yn ei siomi. Roedd y ddau'n fwy na chyd-weithwyr erbyn hyn; roedd blynyddoedd gyda'i gilydd yn yr un labordy wedi eu tynnu'n agosach at ei gilydd a'u gwneud yn gyfeillion, o fewn ac y tu allan i DeltaNet. Byddai Ben wedi gwneud unrhyw beth i helpu Alan. Efallai bod Alan yn iawn; doedd ganddo ddim gymaint i'w golli.

Gyrrodd e yn ôl i'w fflat yn edrych yn ei ddrych yn ofalus, ond doedd dim byd anarferol i'w weld, dim ond goleuadau'r ceir yn mynd a dod. Ond fyddai fe ddim yn gwybod am beth i edrych, meddyliodd Ben. Rhaid peidio â mynd yn rhy baranoid. Nid y gwasanaeth cudd oedd DeltaNet wedi'r cyfan. Oerodd e yn sydyn wrth feddwl am Julie Perkins. Mae'n siŵr mai dyna beth roedd hi wedi ei feddwl unwaith. Paranoia neu beidio, allai fe ddim meiddio â bod yn ddiofal. Wedi iddo fe barcio'r car, edrychodd e'n gyflym o'i amgylch cyn cerdded i fyny'r grisiau tuag at ei fflat.

Agorodd e'r drws blaen a throi'r golau ymlaen cyn mynd i mewn i'r cyntedd. Taflodd e allweddi'r car i'r

suddo	to sink	*anarferol*	unusual
siomi	to disappoint	*gwasanaeth cudd*	secret service
cyfaill (eg)		*meiddio*	to dare
cyfeillion	friend	*diofal*	careless
drych (eg)	mirror	*cyntedd (eg)*	lobby, vestibule

fowlen wrth y drws cyn cerdded i mewn i'r ystafell fyw. Trodd e'r golau ymlaen.

'Noswaith dda, Mr Daniels.' Neidiodd calon Ben i'w wddf e, ond roedd yn adnabod y llais oeraidd cyn iddo fe weld y siaradwr. Roedd Ron Griffiths yn eistedd ar gadair freichiau, gyda dau ddyn mawr mewn siwtiau tywyll yn sefyll wrth y ffenest y tu ôl iddo fe.

'Adran Gysylltiadau Cyhoeddus yn gweithio'n hwyr heno?' gofynnodd Ben, gan lwyddo i gadw ei lais yn wastad.

'Mewn ffordd o siarad, Mr Daniels.' Pwyntiodd Ron Griffiths at y soffa. 'Eisteddwch, os gwelwch yn dda.'

'Mae'n well gen i sefyll, diolch,' meddai Ben. Dechreuodd un o'r dynion eraill symud tuag at Ben ond cododd Griffiths ei law ac ysgwyd ei ben. Aeth y dyn yn ôl i sefyll wrth y llenni.

'Fel y mynnwch,' meddai Griffiths. Syllodd e ar Ben am funud cyn gwenu'n ddi-hiwmor. 'Dim 'sut ar y ddaear y daethoch i mewn', Mr Daniels? Dw i'n synnu atoch chi.'

'Dw i'n eitha siŵr eich bod chi'n gwneud hyn yn ddigon rheolaidd,' meddai Ben yn galed. 'Dyw'r peth ddim yn syndod mawr i fi. A dweud y gwir, ro'n i'n hanner-disgwyl rhywbeth fel hyn. Roedd Ben yn siŵr na fyddai ei eiriau yn perswadio Griffiths ond aeth ymlaen beth bynnag. 'Ond nawr eich bod chi wedi torri i mewn i'r tŷ mae'n well i chi wneud eich gwaetha.'

neidio	to jump	*fel y mynnwch*	as you wish
calon (eb)	heart	gwenu	to smile
gwddf (eg)	throat, neck	rheolaidd	regular
gwastad	even, level	*mae'n well i chi*	you'd better
llen (eb) llenni	curtain(s)		

'*Bravo*, Mr Daniels,' meddai Griffiths, ond roedd y wên wedi diflannu nawr. 'Byddwn i wedi galw hwn yn ymweliad anffurfiol ond, o'r gorau, fel y mynnwch. Mae gen i gynnig i chi.'

'Chi'n bersonol, neu DeltaNet?'

Syllodd Griffiths ar Ben am funud arall gan gau ei wefusau'n dynn. Allai Ben ddim gweld yr un emosiwn yn ei lygaid oeraidd. 'Dyma'r cynnig, Mr Daniels. Gadewch lonydd i DeltaNet a bydd DeltaNet yn gadael llonydd i chi.'

'Nid cynnig yw hwnna. Bygythiad yw e. Mae'n siŵr y bydd gan yr heddlu a fy nghyfreithiwr ddiddordeb mawr i glywed am hyn.'

'A byddwn ni'n gwadu'r cyfan, Mr Daniels. Peidiwch â bod mor ffôl. Mae'r cynnig yn un syml iawn, Mr Daniels. Mae'n siŵr eich bod chi'n deall bod yn rhaid i ni amddiffyn ein buddsoddiad.'

Chwarddodd Ben am eiliad. 'Buddsoddiad? Beth am y niwed i ddefnyddwyr y Connect?'

Ysgydwodd Griffiths ei ben a chododd e i'w draed. Symudodd y dynion eraill at Griffiths. Teimlodd Ben ei waed yn oeri.

'Allwch chi ddim profi fod yna unrhyw niwed i ddefnyddwyr y Connect, Mr Daniels,' meddai Griffiths yn dawel.

'Ddim ar hyn o bryd,' meddai Ben. Ymladdodd e i

ymweliad (eg)	visit	*gwadu*	to deny
anffurfiol	informal	*ffôl*	foolish
cynnig (eg)	an offer	*amddiffyn*	to protect
tynn	tight	*buddsoddiad (eg)*	investment
gadael llonydd i	to leave be, let alone	*profi*	to prove
		ymladd	to fight

stopio'i ddwylo rhag crynu. Allai fe gyrraedd drws y fflat cyn y ddau ddyn arall?

'Gobeithio'n wir nad ydych chi'n ein bygwth ni, Mr Daniels, neu . . .'

'Neu beth?' Stopiodd y cryndod yn Ben yn sydyn. Roedd yn dechrau teimlo'n ddig erbyn hyn. Ochneidiodd Griffiths yn uchel a rhwbiodd e bont ei drwyn yn araf.

'Dych chi ddim yn deall, Mr Daniels. Unwaith yn unig y galla i wneud y cynnig hwn. Unwaith yn unig. Os bydd pethau'n newid, wel . . .' Rhoddodd e arwydd â'i law a cherddodd y ddau ddyn arall heibio i Ben yn gyflym ac allan trwy'r drws. Dilynodd Griffiths ond stopiodd e am funud yn y cyntedd a throi tuag at Ben.

'Gair i gall, Mr Daniels. Efallai na fyddwn ni'n cael amser i drafod pethau mor ofalus y tro nesaf.' Trodd e ar ei sawdl a chau drws y fflat y tu ôl iddo fe.

Yn y tawelwch sydyn, roedd Ben yn gallu clywed ei galon yn curo'n uchel yn ei glustiau.

8

Doedd Ben ddim yn gallu cysgu llawer y noson honno. Doedd e ddim yn siŵr beth oedd pwrpas ymweliad Ron Griffiths. Roedd Ben yn gwybod yn barod y gallai DeltaNet ei fygwth. Ac eto . . . ac eto, yn y gorffennol, fyddai fe ddim wedi credu y byddai DeltaNet wedi ei

---

crynu	to shake, tremble	*sawdl* (*egb*)	heel
gair i gall	a word to the wise		

fygwth bron yn gorfforol. Roedd stori Julie Perkins yn gwbl gredadwy erbyn hyn.

Dros ei drydydd cwpanaid o goffi cryf y bore wedyn, penderfynodd Ben ffonio Julie yn swyddfa'r Standard. Esboniodd e wrthi hi beth oedd wedi digwydd y noson flaenorol.

'Dw i ddim yn gallu dweud fy mod i'n synnu llawer,' meddai Julie ar ôl i Ben orffen adrodd yr hanes. 'Rwyt ti'n lwcus eu bod nhw wedi dy rybuddio di. Ches i ddim rhybudd o gwbl.'

Gwrandawodd Ben arni hi'n cynnau sigarét cyn iddo ofyn, 'Beth wna i nawr?'

'Paid â mynd at yr heddlu. Dwyt ti ddim yn gallu profi dim. Dw i'n siŵr nad yw olion bysedd Ron Griffiths na'i gŵn bach yn y fflat. Maen nhw'n eithriadol o ofalus. A bydd yr heddlu yn amheus iawn o dy stori di, yn arbennig gan fod DeltaNet newydd dy gyhuddo di o ysbïo diwydiannol. Glywaist ti unrhyw beth arall am hynny, gyda llaw?'

'Naddo. Roedd rhaid i fi roi fy mhasport i fy nghyfreithiwr. Mae e'n disgwyl clywed mwy gan DeltaNet.'

Chwarddodd Julie yn ddi-hiwmor, 'Maen nhw wrthi'n brysur yn ffugio'r dystiolaeth.'

'Do'n i erioed wedi credu bod y storïau am DeltaNet yn wir,' ochneidiodd Ben.

---

corfforol	physical	*na'i gŵn bach*	or his puppies/
credadwy	believable		underlings
blaenorol	previous	*gyda llaw*	by the way
rhybudd (eg)	warning	*maen nhw wrthi*	they are at it, busy
olion bysedd (ll)	fingerprints	*ffugio*	to forge, fabricate

'Paid â bod mor naïf, Ben,' atebodd Julie'n galed. 'Mae dwylo bron pob corfforaeth yn frwnt y dyddiau hyn. Ac os dyn nhw wedi golchi eu dwylo'n gyhoeddus, gelli di fod yn siŵr bod 'na eraill yn y cefndir â dwylo mwy brwnt. Cyfalafiaeth fodern i ti,' ychwanegodd hi'n smala.

'Rwy ti'n swnio fel comiwnydd,' meddai Ben.

'*Realpolitik,* Ben. Hanner y stori sydd gan Marx. Agor dy lygaid.'

Gorffennodd Ben ei goffi. 'Beth nesa?'

'Yr un peth ag o'r blaen. Tystiolaeth bendant. Beta 337.'

'Ond dw i ddim yn gallu cael gafael ar y ffeil heb help Alan.'

'Buddugoliaeth i DeltaNet felly. Ffonia fi os bydd unrhyw beth newydd gen ti i'w adrodd. Pob lwc, Ben.'

Rhoddodd Ben y ffôn i lawr a syllodd e'n ddigalon ar ei gwpan gwag. Roedd Julie yn iawn. Heb Beta 337, roedd buddugoliaeth o fewn gafael DeltaNet. Sut i gael gafael ar y ffeil . . . roedd Ben yn teimlo ei fod e'n crwydro i diroedd anghyfarwydd, tiroedd oedd i'w gweld fel arfer mewn rhaglenni teledu a ffilmiau. Cyfarfodydd mewn strydoedd tywyll, negeseuon cyfrinachol yn ymddangos ar sgrîn y cyfrifiadur . . .

Dyna ni. Y cyfrifiadur oedd yr ateb ac yn bwysicach, y Rhyngrwyd. Neidiodd e i'w draed a throdd e ei gyfrifiadur ymlaen. Wrth i'r rhaglenni gychwyn,

naïf	naïve	*comiwnydd (eg)*	communist
gelli di	you can	*buddugoliaeth (eb)*	victory
cefndir (eg)	background	*digalon*	depressed, sad
cyfalafiaeth (eb)	capitalism	*o fewn gafael*	within reach
ychwanegu	to add	*tir (eg) oedd*	land (s)
yn smala	jokingly		

berwodd e'r tegell i wneud cwpanaid arall o goffi. Wrth estyn am lwy de, meddyliodd e am ei sgwrs gyntaf gyda Julie. Efallai ei bod hi'n iawn, dylai fe yfed llai o goffi. Gyda DeltaNet wedi dechrau ymweld yn ddiwahoddiad byddai ei nerfau fe'n rhacs cyn diwedd yr wythnos. Dim ots. Gallai fe boeni am goffi rhyw dro arall.

Eisteddodd e o flaen y cyfrifiadur a chysylltu â'r Rhyngrwyd. Teipiodd e enw DeltaNet ar dudalen we un o'r peiriannau chwilio poblogaidd. Darllenodd e drwy'r canlyniadau: tudalennau ar ôl tudalennau o hysbysrwydd DeltaNet o'u safle Rhyngrwyd, storïau papur newydd, siopau yn gwerthu nwyddau DeltaNet. Roedd e'n mynd i roi'r gorau i'r chwilio pan welodd e, bron ar waelod y rhestr, ganlyniad o fath gwahanol:

397. Gwylio'r Corfforaethau (16%)
http://www.gwylio-corff.org/

Cysylltodd e â'r safle. Dim ond marc o un deg chwech y cant roedd y peiriant chwilio wedi ei roi i'r safle. Roedd hyn yn awgrymu nad oedd llawer o gyfeiriadau at DeltaNet yno. Doedd Ben ddim yn disgwyl llawer, ond roedd enw'r safle yn ddiddorol.

Dechreuodd e ddarllen drwy'r safle. Roedd *Gwylio'r Corfforaethau* yn fudiad oedd yn ceisio dangos beth

---

lllwy de (eb)	teaspoon	*safle (eg)*	site
diwahoddiad	without invitation	*nwyddau (ll)*	goods
rhacs	shattered	*o fath gwahanol*	of a different sort
tudalen we	web page	*cyfeiriad (eg)*	reference
peiriannau		*mudiad (eg)*	movement,
chwilio	search engines		organisation
hysbysrwydd (eg)	information		

roedd y corfforaethau mawr yn ei wneud y tu ôl i'w hysbysebion slic. Roedd bron pob enw ar y safle yn gyfarwydd: enwau oedd i'w gweld yn y stryd fawr, ar becynnau bwyd, ar focsys peiriannau fideo, ar ddillad chwaraeon. Y tu ôl i bob enw, yn ôl *Gwylio'r Corfforaethau*, roedd storïau am dwyllo'r cyhoedd a cham-drin gweithwyr. Roedd corfforaethau mawr yn gorfodi gweithwyr yn y trydydd byd i weithio am ychydig geiniogau'r dydd tra bod y dillad roedden nhw'n eu gwneud yn cael eu gwerthu am lawer o arian yn y gorllewin. Rhwng y storïau hyn roedd sawl cyfeiriad at y corfforaethau oedd yn ceisio mynd â *Gwylio'r Corfforaethau* i'r llys. Roedd copïau o safle'r mudiad ar sawl gwasanaethydd drwy'r Rhyngrwyd. Wrth i'r safle gael ei gau i lawr ar un gwasanaethydd, byddai'n agor ar un arall.

Hanner ffordd trwy dudalen gyntaf y safle roedd Ben wedi anghofio am ei goffi. Roedd cyfeiriadau at DeltaNet ar y safle, ond roedden nhw'n ddigon cyfarwydd i Ben erbyn hyn, gan eu bod nhw'n sôn am yr un pethau roedd Julie Perkins wedi eu trafod yn ei herthygl ddiwethaf. Ar ôl rhyw hanner awr, dilynodd Ben gyfeiriad at safle arall, ac yna at un arall. Yn raddol, wrth ddilyn ei drwyn ar draws y Rhyngrwyd, dechreuodd e ddod ar draws rhagor o storïau am DeltaNet yn bygwth a churo pobl oedd yn ceisio eu gwrthwynebu. Doedd Ben ddim yn gallu credu'r peth:

---

hysbyseb (eb)		*gorfodi*	to force
(hysbysebion)	advert	*gwasanaethydd (eg)*	server
twyllo	to deceive	*yn raddol*	gradually
cyhoedd (eg)	public	*gwrthwynebu*	to oppose
cam-drin	to abuse, mistreat		

pe byddai dim ond chwarter y storïau'n wir, byddai yna ddigon o reswm i rywun boeni. Roedd digon yno i wneud i Ben boeni'n fwy am ymweliad Ron Griffiths.

O'r diwedd, dilynodd Ben y trywydd at grŵp trafod o'r enw *alt.corfforaethau*. Pan gyrhaeddodd e'r safle, roedd pobl yn trafod corfforaeth arall. Darllenodd Ben drwy'r drafodaeth am dipyn cyn blino arni hi a dechrau edrych drwy'r archifau. Daeth e o hyd i drafodaeth ddiweddar am DeltaNet. Trafodaeth ynglŷn â honiadau am bolisi amgylchedd DeltaNet oedd hi. Roedd y rhan fwyaf o'r sylwadau wedi eu seilio ar sibrydion a dyfalu ond roedd un cyfrannwr, Sanctuary, yn gallu dyfynnu o ffynonellau caletach. Roedd Sanctuary wedi darllen nifer o ddogfennau polisi a strategaeth DeltaNet yn fanwl. Efallai mai cyn-weithiwr i DeltaNet oedd hwn – neu hon – meddyliodd Ben. Fyddai neb arall wedi gallu dyfynnu cynlluniau busnes y cwmni mor fanwl.

Daeth e o hyd i drafodaeth ddiweddarach ynglŷn ag ochr technolegol DeltaNet. Roedd rhai negeseuon yn trafod y DN Connect. Roedd y cyfranwyr yn ceisio dyfalu beth oedd y peth diweddaraf i ddod o ffatrïoedd DeltaNet. Dechreuodd Ben ddarllen yn fwy gofalus. Roedd Sanctuary wedi cyfrannu i'r drafodaeth hon hefyd. Yna, yn un o negeseuon Sanctuary, gwelodd Ben frawddeg allweddol:

trywydd (eg)	lead, trail
trafodaeth (eb)	discussion
amgylchedd (eg)	environment
sylw (eg)	
sylwadau	comment, remark
seilio	to be based
sibrwd (eg) sibrydion	whisper
dyfalu	to guess, speculate
cyfrannwr (eg)	contributor
ffynhonnell (eb)	source
ffynonellau	
dogfen (eb)-nau	document
strategaeth (eb)	strategy
yn fanwl	thoroughly, precisely
technolegol	technological
allweddol	key

Connect fydd y peth fydd yn coroni neu'n crogi
DeltaNet — ond i'w crogi nhw, bydd angen i rywun
ffeindio Beta 337.

Aeth y neges ymlaen i drafod pwynt arall roedd
rhywun wedi ei godi, ond roedd Ben wedi penderfynu
beth i'w wneud yn barod. Roedd rhaid iddo fe gysylltu
â Sanctuary.

Copïodd e gyfeiriad Sanctuary. Agorodd e ei raglen
e-bost ond cyn iddo fe ddechrau ysgrifennu'r neges
gwasgodd e'r botwm i dderbyn unrhyw negeseuon
newydd. Ymddangosodd un neges yn ei flwch post
electronig. Oerodd gwaed Ben pan welodd e pwy oedd
wedi anfon y neges.

Neges i: **Ben <bdaniels@ether.net>**
Oddi wrth: **Sanctuary <sanctuary@anon.com>**
Pwnc: **DeltaNet**

DN Connect — os dych chi am wybod mwy — Vulcan
Arms heno, 8 o'r gloch.
Sanctuary.

9

Eisteddodd Ben wrth un o'r byrddau yn y Vulcan Arms.
Rhoddodd e ei beint ar y bwrdd yn ofalus cyn edrych ar
ei wats unwaith eto. Chwarter i wyth. Roedd e wedi
dewis bwrdd lle y gallai fe weld drws blaen y dafarn yn
ogystal â'r drws cefn wrth ymyl y toiledau. Roedd Ben

---

coroni	to crown	*yn ogystal â*	as well as
crogi	to hang		

yn gwisgo siaced ysgafn, jîns ac esgidiau rhedeg; dillad roedd e wedi eu dewis yn ofalus. Allai fe ddim bod yn hollol sicr pwy oedd Sanctuary. Gallai fe fod yn gweithio i DeltaNet, ac yn cymryd rhan yn y trafodaethau ar y Rhyngrwyd er mwyn ceisio dal pobl fel Ben. Roedd Ben eisiau cyfle i ddianc pe byddai rhywun fel Ron Griffiths a'i gŵn bach yn cyrraedd yn ddiwahoddiad

Ac eto, Sanctuary oedd wedi cysylltu â Ben. Os oedd e'n gweithio i DeltaNet, doedd dim angen iddo fe wneud hynny. Gallai DeltaNet ddod o hyd iddo fe unrhyw bryd, heb geisio ei ddilyn ar draws y Rhyngrwyd. Ar y llaw arall, gallai'r cwmni fod yn edrych ar bopeth roedd Ben yn ei wneud er mwyn casglu tystiolaeth yn ei erbyn. Yfodd Ben dipyn yn fwy o'i beint. Dim gormod, meddyliodd e, rhag ofn y byddai rhaid iddo fe symud yn gyflym. Ond roedd y cwrw'n blasu'n dda, ac roedd ei nerfau yn rhoi ceg sych iddo fe.

Gwyliodd e'r bobl yn dod i mewn i'r Vulcan. Neb roedd yn ei adnabod, gweithwyr ac adeiladwyr gan mwyaf. Pam roedd Sanctuary wedi dewis y dafarn hon, yng ngogledd-orllewin y brifddinas? Mae'n bosib ei bod hi'n agos i gartref Sanctuary. Mae'n bosib ei bod yn bell o gartref Sanctuary. Mae'n bosib nad oedd llawer o ots beth oedd y rheswm. Roedd gan Ben bethau pwysicach i boeni amdanyn nhw.

Roedd hi'n bron yn hanner awr wedi wyth erbyn hyn. Gorffennodd Ben ei beint ac aeth at y bar am un arall.

---

cyfle (eg)	chance, opportunity	gan mwyaf	mostly
dianc	to escape	llawer o ots	much difference
blasu	to taste		

55

'Dyw hi ddim wedi cyrraedd, 'te,' meddai'r ferch ifanc y tu ôl i'r bar wrth dynnu peint arall iddo fe.

'Beth?' Edrychodd Ben yn syn arni hi.

'Dw i wedi bod yn eich gwylio chi,' meddai'r ferch, gan roi'r gwydr o'i flaen e. 'Dych chi'n neidio o'ch croen bob tro mae rhywun yn dod i mewn 'ma. Aros am ferch dych chi, yntê?'

'O . . . ie,' meddai Ben yn wan. 'Dych chi wedi fy nal i.' Ceisiodd e roi hanner gwên wrth estyn ei arian i'r ferch. 'Ond os na ddaw hi ar ôl hwn, rhodda i'r gorau i aros.'

Gwenodd y ferch. 'Ymlaciwch. Dw i'n siŵr y daw hi cyn hir.'

Cerddodd Ben yn ôl at y bwrdd. Roedd ei feddwl yn troi. Roedd hi'n amlwg i'r ferch ei fod e'n nerfus. Doedd e ddim yn gallu fforddio dangos hynny i Sanctuary. Welodd Ron Griffiths yr un peth yn ei lygaid neithiwr? Doedd Ben ddim wedi sylweddoli gymaint roedd yr holl fusnes wedi effeithio ar ei nerfau.

Am ugain munud wedi naw, gorffennodd Ben ei ail beint. Roedd hi'n edrych fel pe na fyddai Sanctuary yn dod wedi'r cyfan. Penderfynodd e fynd adref er mwyn e-bostio Sanctuary i ddarganfod beth oedd wedi digwydd. Cododd e a rhoi ei wydr gwag ar y bar. Roedd y ferch ifanc yn tynnu peint ar ben arall y bar. Rhoddodd hi wên drist i Ben a chododd Ben ei ysgwyddau a gwenu arni hi cyn gadael.

Cerddodd e'n gyflym i'r car, oedd wedi ei barcio mewn stryd yn agos i'r dafarn. Wrth iddo fe roi'r allwedd yng nghlo'r drws clywodd e ddrysau'r car y tu

---

croen (eg)	skin	*clo (eg)*	lock
ymlacio	to relax		

56

ôl iddo fe yn agor a chau. Pan edrychodd Ben i fyny roedd dyn mawr yn sefyll wrth ei ochr. Neidiodd calon Ben i'w wddf e. Doedd e ddim yn gallu gweld wyneb y dyn yn erbyn y golau stryd.

'Beth dych chi ei eisiau?' gofynnodd Ben. Roedd dyn arall yn sefyll ar yr ochr arall iddo fe.

'Beth – ' dechreuodd Ben ddweud unwaith eto ond teimlodd e rywun yn ei fwrw'n galed yn ei gefn. Gafaelodd rhywun yn ei wallt a bwrw ei ben yn galed yn erbyn ei gar. Roedd sêr yn dawnsio o flaen llygaid Ben. Gallai fe deimlo rhywbeth gwlyb a chynnes yn rhedeg i lawr ei wyneb. Llithrodd e'n araf i'r llawr wrth i ddyrnau hedfan o'i amgylch. Wrth iddo fe orwedd ar y llawr roedd pobl yn ei gicio'n galed. Clywodd e sŵn rhywbeth yn cracio cyn i'r byd fynd yn dywyll.

'A, dych wedi deffro.'

Agorodd Ben ei lygaid yn araf i weld nyrs yn sefyll wrth ei ymyl. Sylweddolodd e ei fod yn gorwedd ar wely ysbyty. Ceisiodd e ddweud rhywbeth ond doedd e ddim yn gallu siarad.

'Peidiwch â phoeni,' meddai'r nyrs. 'Bydd y chwyddo'n mynd cyn hir. Af i i ddweud wrth y doctor eich bod chi wedi deffro.' Diflannodd y nyrs drwy'r llenni gwyrdd ar ben arall y gwely.

Ceisiodd Ben symud ychydig bach ond rhoddodd e'r gorau i hynny ar unwaith. Roedd e'n brifo gormod.

---

seren (eb) sêr	star	*gorwedd*	to lie
cynnes	warm	*chwyddo*	to swell, swelling
llithro	to slide	*brifo*	to hurt
dwrn (eg) dyrnau	fist		

Roedd y cyfan wedi digwydd mor gyflym. Doedd e ddim wedi cael y cyfle i weld wynebau'r dynion.

Agorodd y llenni a dychwelodd y nyrs gyda gwraig arall. Edrychodd y wraig dros ei sbectol denau ar Ben.

'Mr Daniels, dych chi wedi deffro o'r diwedd. Doctor Simkin ydw i. Dw i'n siŵr bod Nyrs Dixon wedi'ch rhybuddio chi am beidio â cheisio siarad, felly gwna i geisio ateb rhai o'ch cwestiynau chi.' Cymerodd hi'r pad nodiadau oddi ar waelod y gwely a'i ddarllen yn frysiog cyn dechrau siarad eto.

'Dyw pethau ddim cynddrwg â hynny. Dych chi wedi torri eich trwyn a dwy asen. Ond wrth lwc dim ond cleisiau sydd ganddoch chi ar y cyfan. Dylech chi fod yn gallu siarad erbyn bore fory, hefyd,' ychwanegodd hi â gwên garedig. 'Gallwch chi fynd adre heno, hyd yn oed. Ar ôl cael sgan i sicrhau nad oes unrhyw niwed parhaol i'ch pen, wrth gwrs. A chyn i chi fynd adre, bydd yn rhaid i chi siarad â'r heddlu, Mr Daniels.'

Trodd Dr Simkin i adael cyn stopio a throi'n ôl tuag at Ben. 'Mae 'na ragor o newyddion da. Wnaethon nhw ddim lladrata eich waled. Dyna sut 'dyn ni'n gwybod eich enw. Bydd porthor yma mewn munud i fynd â chi i fyny am eich sgan.'

Pasiodd yr hanner awr nesaf mewn niwl i Ben. Roedd e'n gwylio nenfwd yr ysbyty'n pasio wrth i'r porthor a Nyrs Dixon fynd â fe am ei sgan. Yn ôl yn yr

---

deffro	to wake up,	*clais (eg)*	
	dihuno	*(cleisiau)*	bruise
cynddrwg â	as bad as,	*parhaol*	permanent
	mor wael â	*porthor (eg)*	porter
asen (eb)	rib	*nenfwd (eg)*	ceiling

Adran Ddamwain ac Argyfwng daeth dau blismon ato fe wrth iddo fe gasglu ei bethau ynghyd. Ceisiodd un ohonyn nhw, Sarjant Evans, esbonio y gorau gallai fe. Doedd neb wedi gweld yr ymosodiad. Ar ôl clywed rhyw sŵn, daeth rhai o'r bobl allan o'r Vulcan i ddarganfod Ben ar y llawr wrth ymyl ei gar a char arall yn gyrru i ffwrdd. Doedd dim byd wedi cael ei ladrata oddi ar Ben, hyd y gallen nhw weld. Roedd yn bosib bod rhywun arall wedi tarfu ar yr ymosodwyr.

Nodiodd Ben yn wan. Dychwelodd Dr Simkin i ddweud fod y sgan yn dangos fod dim o'i le. Dwedodd y Sarjant y byddai Ben yn gallu cael lifft adref gyda fe. Roedd plismon arall yn mynd i gasglu car Ben o'r dafarn.

O'r diwedd, ar ei ben ei hun yn ei fflat, cerddodd Ben i'w ystafell wely ac eisteddodd e'n araf ar y gwely. Gorweddodd e ac am yr ail dro y noson honno ildiodd e i'r tywyllwch.

10

'Yffach wyllt,' meddai Ben drwy wefusau chwyddedig.

Roedd Ben wedi deffro'n gynnar iawn y bore wedyn. Doedd e ddim yn gallu mynd yn ôl i gysgu. Cododd e'n araf a hercio i'r ystafell ymolchi lle gwelodd ei wyneb am y tro cyntaf ers iddo ddod mas o'r ysbyty.

argyfwng (eg)	emergency	*tarfu ar*	to disturb
ynghyd	together	*ildio*	to yield
ymosodiad (eg)	attack	*yffach wyllt*	blinking heck
hyd y gallen nhw weld	as far as they could see	*chwyddedig*	swollen
		hercian	to limp

Edrychodd e ar y drych unwaith eto. Roedd ei wyneb yn edrych fel wyneb paffiwr a gollodd ei ornest, ei drwyn wedi chwyddo a'i lygaid yn ddu. Ymolchodd e'r gorau gallai fe, gwisgodd e ac aeth e i'r gegin i wneud paned o goffi. Ceisiodd e fwyta tipyn o frecwast, gan neidio mewn poen wrth i'r coffi poeth gyffwrdd â'i wefusau.

Rhoddodd e'r gorau i'w frecwast a herciodd e tuag at ei gyfrifiadur. Roedd rhaid iddo fe ddarganfod beth roedd Sanctuary wedi ei wneud. Oedd Sanctuary yn gweithio i DeltaNet ac wedi gosod trap iddo fe? Neu oedd DeltaNet wedi bwriadu ymosod arno fe ers tro? Oedd gwahoddiad Sanctuary i'r Vulcan Arms yn ddim byd mwy na chyd-ddigwyddiad?

Doedd dim rhaid i Ben aros yn hir am ateb. Roedd neges newydd gan Sanctuary yn aros amdano fe yn ei flwch post.

Neges i:	Ben <bdaniels@ether.net>
Oddi wrth:	Sanctuary <sanctuary@anon.com>
Pwnc:	Re: DeltaNet

PAID Â MYND I'R VULCAN ARMS

DELTANET YNO HEFYD

*** PERYGL ***

CYSYLLTA I YFORY

Teipiodd Ben neges newydd ar unwaith.

---

paffiwr (eg)	boxer	*bwriadu*	to intend
gornest (eg)	bout, contest	*ers tro*	for some time
cyffwrdd â	to touch	*cyd-ddigwyddiad (eg)*	coincidence
gosod	to lay, set		

Neges i: Sanctuary <sanctuary@anon.com>
Oddi wrth: Ben <bdaniels@ether.net>
Pwnc: Vulcan

Beth nawr? Ad-drefnu cyfarfod?

Anfonodd Ben y neges. Syllodd e ar y sgrîn am funud. Fyddai Sanctuary wrth ei gyfrifiadur nawr, neu fyddai'n rhaid iddo fe aros am ei ateb? Ar y gair, fflachiodd neges ar y sgrîn i ddweud fod neges newydd wedi cyrraedd i Ben. Agorodd Ben y neges yn eiddgar.

Neges i: Ben <bdaniels@ether.net>
Oddi wrth: POSTFEISTR <postfeistr@anon.com>
Pwnc: Cyfeiriad ddim yn bod

Ni allaf anfon eich neges at sanctuary@anon.com. Nid yw'r cyfeiriad ar y rhwydwaith hwn.

Suddodd calon Ben. Oedd DeltaNet wedi cael gafael ar Sanctuary, neu oedd Sanctuary wedi mynd o'r golwg am y tro? Sanctuary oedd ei unig obaith i gael gafael ar ffeil Beta 337 a phrofi, unwaith ac am byth, fod yna berygl i ddefnyddwyr y DN Connect. Pe byddai Ben yn ceisio gwneud unrhyw beth arall y byddai DeltaNet yn siŵr o drefnu rhywbeth llawer gwaith na churfa iddo fe. Efallai bod Ron Griffiths wedi gweld rhywbeth yn ei lygaid y noson honno yn ei fflat, rhywbeth fyddai'n ildio i nerth braich. Os felly, roedd Ron Griffiths wedi gwneud camgymeriad. Fyddai Ben ddim yn ildio, ond

ad-drefu	to rearrange	*unwaith ac am*	
fflachio	to flash	*byth*	once and for all
yn eiddgar	eagerly	*curfa (eg)*	beating
o'r golwg	from view	*nerth (eg)*	strength

ar y llaw arall doedd e ddim mor siŵr beth y gallai fe ei wneud nawr.

Canodd y ffôn a neidiodd Ben i'w draed. Rhegodd e dan ei anadl. Roedd symud yn boenus iawn. Roedd e bron wedi anghofio am ei asennau. Cerddodd e'n fwy gofalus at y ffôn.

'Helô?'

'Mr Daniels?'

'Ie.'

'Sarjant Evans yma, syr. Siaradon ni yn yr ysbyty ddoe. Mae'n ddrwg gen i ffonio mor gynnar. Sut dych chi heddiw, syr?'

'Dw i wedi bod yn well, Sarjant. Ydych chi wedi dal yr ymosodwyr yn barod?' Ceisiodd Ben chwerthin ond roedd ei asennau'n rhy boenus.

'Nac ydyn, mae'n ddrwg gen i, syr. Ond hoffen ni i chi ddod i lawr i'r stesion rywbryd i roi'r stori lawn i ni.'

''Dw i ddim yn gweld . . .' Oedodd Ben ar ganol ei frawddeg. Doedd dim pwynt mewn ceisio esbonio am DeltaNet i'r Sarjant. 'O'r gorau Sarjant. Ond ga i aros tan fory?'

'Wrth gwrs, syr, deall yn iawn. Gyda llaw, mae'ch car chi yn ddiogel yn eich maes parcio. Gwthiodd y cwnstabl yr allweddi trwy'r blwch post. Gwelwn ni chi fory, 'te. Ffordd Trafalgar. Hwyl am y tro.'

Rhoddodd Ben y ffôn i lawr gan deimlo'n eithriadol o ddigalon. Roedd e wedi colli ei swydd achos cyhuddiad di-sail, wedi derbyn y gurfa waethaf iddo fe

---

rhegu	to swear, curse	*dal sylw*	to catch attention
stesion (eb)	*gorsaf yr heddlu*	*di-sail*	unfounded
rhywbryd	sometime		

erioed ei derbyn yn ei fywyd a doedd dim byd y gallai ei wneud am yr un o'r ddau beth. Gallai fe deimlo'r gwaed yn curo yn ei wyneb.

Penderfynodd e fynd i lawr y grisiau i gasglu ei bost a'i bapur newydd. Daeth e o hyd i allweddi'r car ar y mat wrth y drws. Gan ofalu cloi'r drws y tu ôl iddo fe, cerddodd e tua'r lifft. Fel arfer, roedd Ben yn defnyddio'r grisiau, ond nid heddiw. Yn y cyntedd, roedd e'n mynd i agor ei flwch post pan welodd e gar yn gadael y maes parcio. Oedodd e, gan geisio cofio ble roedd e wedi gweld y car o'r blaen. Car un o'r bobl eraill oedd yn byw yn y fflatiau oedd e? Neu dyna'r car oedd y tu allan i'r Vulcan Arms neithiwr?

Teimlodd Ben gryndod a brysiodd i agor ei flwch post. Yn y lifft unwaith eto, roedd e'n teimlo'n fwy diogel. Edrychodd e'n frysiog drwy ei bost: biliau a dau gylchgrawn proffesiynol. Yn ôl yn y fflat, taflodd e'r post i un ochr a darllenodd e benawdau'r papur newydd cyn ei roi ar fwrdd y gegin. Estynnodd e am y sudd oren o'r oergell, ond cyn iddo fe agor y botel daliodd un o'r penawdau llai ei sylw.

DeltaNet yn lawnsio'r DN Connect heddiw

Mewn datblygiad a anfonodd donnau o sioc drwy'r Brifddinas ddoe, cyhoeddodd DeltaNet eu bod nhw'n mynd i lawnsio'r DN Connect heddiw, bron wythnos yn gynharach na'r disgwyl. Mae'r Connect wedi bod yn un o brosiectau cyfrinachol DeltaNet ers...

Wnaeth Ben ddim darllen gweddill yr erthygl. Yn sydyn, roedd hi'n fwy amlwg pam cafodd e gurfa

---

llai	smaller	*ton (eb)*	wave
datblygiad (eg)	development	*cynharach*	earlier

neithiwr – i'w berswadio i gadw'n glir o'r lawnsiad.
Dyna'r rheswm, efallai, i DeltaNet gael gwared ar
Sanctuary mor sydyn. Os oedd Sanctuary yn gwybod . . .

Canodd cloch y drws blaen. Teimlodd Ben gryndod
yn saethu drwyddo. Pwy fyddai'n ymweld â fe am wyth
o'r gloch y bore? Oedd pobl DeltaNet yma eto i wneud
yn siŵr na fyddai'n mynd i'r lawnsiad? Os felly, fyddai
fe ddim yn cydweithio mor barod y tro hwn. Estynnodd
e am gyllell hir o'r gegin a symudodd e'n araf tuag at y
drws.

11

'Beth ro't ti'n feddwl ei wneud â honna?' gofynnodd
Alan, gan bwyntio at y gyllell yn llaw Ben.

Safodd Ben yn stond, gan syllu ar Alan yn syn.

'Ga i ddod mewn 'te?' gofynnodd Alan.

'Cei, wrth gwrs,' meddai Ben. 'Ti oedd y person ola
ro'n i'n ei ddisgwyl heddiw, o bob dydd. Un o'r bobl
ola ro'n i eisiau ei weld hefyd.'

Cerddodd Alan i mewn i'r ystafell fyw ac eisteddodd
e ar y soffa. Taflodd e'r papur newydd roedd e'n ei
gario ar y bwrdd coffi. Caeodd Ben y drws blaen a
dilynodd e Alan i mewn i'r ystafell fyw. 'Dw i ddim yn
dy feio di,' meddai Alan. 'Beth ro't ti'n feddwl ei
wneud â honna? Dim byd cas i fi gobeithio.'

Edrychodd Ben ar y gyllell a chododd e ei

cael gwared ar	to get rid of	*beio*	to blame
saethu	to shoot	*cas*	nasty
sefyll yn stond	to stand still		

ysgwyddau. 'Dw i ddim yn siŵr. Dim byd i ti. Ces i dipyn o drafferth neithiwr – '

'Galla i weld. Dwyt ti ddim yn edrych mor olygus ag arfer.'

'Diolch,' atebodd Ben yn sur. 'Ta waeth, ro'n i'n hanner disgwyl rhagor o driniaeth debyg.' Rhoddodd Ben y gyllell i lawr ar y bwrdd coffi wrth ymyl papur Alan ac eisteddodd e yn y gadair freichiau. Gallai fe deimlo ei waed yn curo'n boenus yn ei wyneb. 'Beth rwyt ti'n ei wneud 'ma, Alan? Gwnest ti esbonio'n ddigon clir nad o't ti am fy helpu.'

'Dyw pethau ddim mor syml â hynny. Gwranda, Ben, mae'n ddrwg gen i dy weld ti fel hyn . . .'

'Cadw dy gydymdeimlad. Mae gen ti deulu i feddwl amdano. Clywais i ti'n iawn y tro cynta. Wyt ti wedi dod 'ma i ailadrodd popeth?' Roedd Ben yn dechrau codi ei lais. 'Cadw dy gydwybod yn glir?'

'Hei, aros funud . . .' meddai Alan yn dawel.

'Beth? Ydw i'n rhy agos at y gwir?' gwaeddodd Ben. 'Gallet ti fod wedi fy helpu i i ddod o hyd i Beta 337, ond do't ti ddim yn fodlon – '

'Aros funud!' gwaeddodd Alan. 'Pe byddwn i wedi gallu cyrraedd y Vulcan Arms . . .'

Tawelodd Ben yn sydyn. Syllodd Alan a Ben ar ei gilydd yn y tawelwch. Roedd Ben yn anadlu'n drwm ac roedd ei gleisiau'n curo'n boenus. Roedd y gwaedu wedi ei wneud yn benysgafn.

trafferth (eb)	trouble	*gweiddi*	
golygus	handsome	*(gwaedd-)*	to shout
cydymdeimlad (eg)	sympathy	*anadlu*	to breathe
ailadrodd	to repeat	*penysgafn*	dizzy
cydwybod (eg)	conscience		

'Ti yw Sanctuary?' sibrydodd Ben.

'Wrth gwrs. Sut arall wyt ti'n meddwl yr anfonodd Sanctuary e-bost yn uniongyrchol atat ti?'

'Ond gallai unrhyw un gael yr wybodaeth na. Gall pobl ddarganfod y cyfeiriad wrth i fi ymweld â thudalennau'r Rhyngrwyd.'

Gwenodd Alan. 'A gwnes i hynny hefyd. Ond roedd y neges yn aros i ti cyn i ti ymweld â'r grŵp trafod,' meddai'n fwy difrifol. 'Ro'n i'n aros i ti ddechrau edrych o amgylch am fwy o wybodaeth. Ar ôl i fi gysylltu â ti neithiwr, ffeindiais i fod rhywun o DeltaNet wedi bod yn darllen fy negeseuon. Ro'n i'n gwybod y byddai'n gamgymeriad i ni fynd i'r Vulcan ond mae'n rhaid dy fod ti wedi gadael cyn cael fy neges.'

Dechreuodd Ben rwbio ei drwyn ond rhoddodd e'r gorau i hynny pan fflachiodd poen drwy ei wyneb. 'Aros funud . . . Do, gwnes i . . .'

'Mae'n dipyn o sioc, dw i'n siŵr,' meddai Alan. 'Ond os meddyli di am y peth, efallai y gwnaiff rywfaint o synnwyr. Yn arbennig os dweda i mai *fi* yw'r ysbïwr diwydiannol.'

Edrychodd Ben yn syn ar Alan. 'Ysbïwr diwydiannol? Ro'n i'n meddwl mai stori gan DeltaNet oedd hwnnw i fy stopio i rhag tarfu ar lawnsiad y Connect.'

'Yn rhannol. Roedd y Pennaeth Diogelwch yn dechrau amau bod yna ysbïo diwydiannol yn digwydd y tu mewn i DeltaNet, ond doedd ganddo ddim tystiolaeth

---

yn uniongyrchol	directly	*synnwyr (eg)*	sense
rhywfaint	a small amount	*yn rhannol*	partly

bendant. Roedd y ffwdan y gwnest ti am y Connect yn esgus perffaith iddo fe ddod â'r peth i'r wyneb, yn arbennig gan bod y cyfarwyddwyr yn dechrau amau rhywbeth. Ro'n nhw wedi amau rhywbeth fisoedd yn ôl pan gyhoeddodd Thomson Electronics eu bod nhw'n gwneud ymchwil i rywbeth tebyg i'r Connect.'

'Felly rwyt ti'n gweithio i Thomson?' gofynnodd Ben. 'Ro'n i wastad wedi meddwl dy fod ti yn mwynhau dy waith. Do'n i ddim yn credu mai arian oedd y peth pwysica i ti.'

'Dyw arian ddim yn bwysig iawn i fi,' meddai Alan yn ddi-hid. 'Gwnes i ddigon trwy werthu rhai o gynlluniau cynnar y Connect i Thomson, dw i'n cyfadde, ond nid dyna pam y dechreuais i ar yr ysbïo.'

'Rwyt ti'n credu'r holl stwff 'gwrth-gorfforaethol' y gwelais i ar y Rhyngrwyd, 'te?' gofynnodd Ben.

'Ydw, dw i'n credu'r holl 'stwff' yna. Defnyddiais i dipyn o'r arian y ces i gan Thomson i ariannu ymgyrch y grŵp dw i'n aelod ohono.'

'*Gwylio'r Corfforaethau*,' sibrydodd Ben.

'Dyna ochr gyhoeddus y mudiad. Y tu ôl i hwnnw mae yna rwydwaith o bobl yn ymchwilio i'r hyn y mae corfforaethau mawr yn ei wneud. Os na allwn ni ddangos i'r byd beth sy'n digwydd, yna rhaid defnyddio dulliau eraill.'

'*Realpolitik*. Hanner y stori sydd gan Marx.'

Chwarddodd Alan yn uchel. 'Yn union. Ble clywaist ti hynny?'

---

ffwdan (eb)	fuss	*gwrth-*	
esgus (eg)	excuse	*gorfforaethol*	anti-corporation
cyfarwyddwr (eg)	director	*ariannu*	to finance
yn ddi-hid	nonchalantly	*ymgyrch (egb)*	campaign
		dull (eg)	method

'Julie Perkins. Mae hi'n rhannu nifer o dy syniadau di. Mae hi siŵr o fod yn rhan o dy rwydwaith dirgel. Oes ganddoch chi gôd cyfrinachol hefyd ac enwau dwl fel – ?'

'Beth sy'n bod arnat ti, Ben?' gofynnodd Alan yn galed. 'Byddwn i'n meddwl dy fod ti, o bawb, yn gallu gweld fod yna wir y tu ôl i'r hyn dw i'n ei ddweud. Nac ydy, 'dyw Julie ddim yn "un ohonon" ni. Mae'n rhyfedd dy fod ti'n sôn amdani hi . . .' Oedodd Alan am funud. 'Mae hi'n gwneud gwaith digon da ar ei phen ei hun, yn arbennig ynglŷn â DeltaNet. Agor dy lygaid, Ben. 'Dyn ni ddim yn gallu galw'r wlad hon yn ddemocratiaeth hyd nes y gallwn ni ddweud ein dweud am y grym go iawn – y corfforaethau.'

'O'r gorau, o'r gorau,' meddai Ben yn flinedig. 'Does dim angen i ti bregethu. Dw i'n cytuno â ti, mwy neu lai. Mae'r cyfan yn sioc i'r system, dyna i gyd. O leia dw i'n gweld pam na wnest ti fwy i fy amddiffyn i yn DeltaNet. Byddai hynny wedi taflu'r goleuni ar dy weithredoedd di.'

'Yn union,' meddai Alan. Chwarddodd y ddau. 'Mae ysbryd Rodgers yn y lle.' Chwarddodd y ddau eto.

'Fe a Ron Griffiths,' meddai Ben. 'Ces i ymweliad gan Ron a'i gŵn bach rai nosweithiau'n ôl.'

'Ron, yma?' gofynnodd Alan yn bryderus. Cododd e i'w draed yn sydyn a cherdded at y ffenest. 'Damio!'

'Beth sy'n bod?' gofynnodd Ben.

'Gallai Griffiths neu un o'i ddynion fod wedi plannu

dwl	stupid	*gweithred (eb)*	action, deed
dweud ein dweud	have our say	*ysbryd (eg)*	spirit
grym (eg)	force, might, power	*pryderus*	anxious
pregethu	to preach	*plannu*	to plant

rhywbeth 'ma. Gallen nhw fod yn gwrando ar ein sgwrs ni.'

Cododd Ben yn boenus a cherddodd e at y ffenestr. 'Aros funud, rwyt ti'n sôn am DeltaNet, nid y Gwasanaeth Cudd.'

'A sut rwyt ti'n credu bod DeltaNet wedi cadw ei safle ar y brig am flynyddoedd? Nid trwy gystadlu teg ar y farchnad yn unig, Ben.'

'Dw i'n fodlon credu rhai pethau ond rwyt ti'n dechrau mynd yn rhy bell nawr.'

Tynnodd Alan y llenni yn ôl dipyn er mwyn cael gwell golwg ar y maes parcio. 'Felly wyt ti'n gallu dweud wrtha i mai cyd-ddigwyddiad llwyr yw'r ffaith fod llond car o bobl Adran Gyhoeddusrwydd DeltaNet newydd barcio i lawr fan'na.'

Edrychodd Ben dros ysgwydd Alan i lawr ar faes parcio'r fflatiau. Roedd car tywyll wrthi'n parcio yno, car oedd yn rhy gyfarwydd o lawer i Ben.

'Dw i ddim yn gallu credu – ' dechreuodd Ben ond torrodd Alan ar ei draws ar unwaith.

'Cei di ddigon o amser i gredu unrhyw beth rwyt ti ei eisiau, ond mae'n rhaid i fi adael. Mae Jane a'r plant yn ffansïo gwyliau a phwy ydw i i anghytuno? Mae gen i deimlad y bydd DeltaNet yn rhoi'r sac i fi cyn hir, ta beth. Dw i ddim yn siŵr a welwn ni'n gilydd eto, Ben.'

'Ond beth am y Connect a Beta 337?' gofynnodd Ben.

Edrychodd Alan o'i amgylch, fel pe byddai fe'n chwilio am rywbeth. 'Dylet ti ddarllen y papur newydd

ar y brig	at the top	*llond car*	a car full
cystadlu teg	fair competition	*fan'na*	there
llwyr	complete	*anghytuno*	to disagree

yn fwy trwyadl, Ben,' meddai gan estyn ei law tuag at
Ben. Ysgydwodd y ddau eu dwylo. 'Pob lwc,' meddai
Alan, cyn troi a gadael yr ystafell.

Clywodd Ben Alan yn cau drws y fflat ac eisteddodd
e ar y soffa yn araf. Roedd ei ben yn teimlo fel pe
byddai fe'n mynd i ffrwydro. Roedd popeth yn edrych
yn ddu iawn. Byddai'r DN Connect yn cael ei lawnsio
ymhen ychydig oriau a doedd dim byd y gallai Ben ei
wneud am y peth. Hefyd, roedd yna'r mater bach o'r car
yn y maes parcio.

Edrychodd e ar y gyllell fara ar y bwrdd coffi. Pa mor
ddefnyddiol fyddai'r gyllell pe byddai rhywun yn ceisio
ymosod arno fe eto? Yna sylwodd e ar y papur newydd
roedd Alan wedi ei roi ar y bwrdd a chofiodd e ei eiriau
olaf. Estynnodd e am y papur a'i godi. Llithrodd
rhywbeth bach allan rhwng y tudalennau a glanio ar y
carped. Edrychodd Ben i weld beth oedd yno.

Disg cyfrifiadur.

Cododd Ben y ddisg a gwenodd am y tro cyntaf y
diwrnod hwnnw.

12

Cychwynnodd Ben y car a gyrrodd e'n gyflym allan o'r
maes parcio. Roedd e wedi aros nes iddo fe weld y
dynion yn dod allan o'r car tywyll cyn gadael y fflat a
cherdded mor gyflym ag y gallai i lawr y grisiau cefn.
Gyda disg Alan yn ddiogel ym mhoced ei siaced

---

ffrwydro	to explode	*glanio*	to land
defnyddiol	useful	*gris (eg)*	step
ymosod ar	to attack		

gyrrodd e i mewn i'r brifddinas i swyddfa'r Standard. Gwnaeth e'n siŵr nad oedd e'n gyrru'n rhy gyflym; doedd e ddim am i'r heddlu ei stopio. Cadwodd e ei lygad ar ei ddrych; efallai ei fod wedi osgoi dynion DeltaNet am dipyn, ond roedd Ben yn disgwyl eu gweld cyn hir.

Am ddeg munud wedi i Alan adael, roedd e wedi edrych trwy gynnwys y ddisg ar ei gyfrifiadur. Roedd calon Ben yn rasio wrth ddarllen drwy deitlau'r ffeiliau. Neges gan Alan oedd y ffeil gyntaf.

> Mae'n siŵr y bydd y ffeiliau hyn yn ddiddorol iawn ac yn esbonio rhai pethau. Dw i wedi bod yn casglu'r wybodaeth am fisoedd. Os yw'r ddisg hon gen ti mae'n siŵr fy mod i wedi gadael am wyliau hir gyda Jane a'r plant. Mae'n bwysig dy fod di'n rhoi'r ddisg hon yn llaw Julie Perkins. Dw i wedi anfon copïau at weinidogion yn y llywodraeth a'r Adran Erlyniadau Cyhoeddus, pob un y gallwn i feddwl amdanyn nhw, yn ogystal â Julie. Ond alla i ddim bod yn siŵr y gwelan nhw'r ffeiliau — mae DeltaNet yn gallu estyn yn llawer pellach a dyfnach na rwyt ti'n ei feddwl.

> Pob lwc,
> Alan/Sanctuary

Roedd gweddill y ffeiliau yn gymysgedd o negeseuon e-bost, dogfennau cyfrinachol DeltaNet, llythyrau, memos ac adroddiadau technegol ac yn olaf

---

gweinidog (*eg*)	minister	*dyfnach*	deeper
llywodraeth (*eb*)	government	*cymysgedd* (*egb*)	mixture
erlyniadau		*adroddiad* (*eg*)	report
cyhoeddus	public prosecutions		

Beta 337. Roedd Ben wedi agor y ffeil honno yn frwdfrydig ond wrth ei darllen, trodd ei frwdfrydedd yn anghrediniaeth lwyr wrth ddarllen y gwir am y Connect.

'Diawled,' meddai yn y car, dan ei anadl. O'r diwedd, pasiodd e swyddfa'r Standard a daeth e o hyd i le i barcio. Tynnodd e anadl sydyn wrth agor drws y car. Roedd ei asennau'n brifo o hyd. Arhosodd e funud i gael ei wynt ato cyn cerdded mor gyflym ag y gallai i swyddfa'r Standard. Anwybyddodd e'r bobl oedd yn syllu ar ei wyneb. Yn y cyffro roedd Ben wedi anghofio ei fod yn edrych yn dipyn o gawdel. Dilynodd e gyfarwyddiadau'r dyn diogelwch at y lifft a gwasgodd e'r botwm am y degfed llawr.

Yn y dderbynfa, holodd e'r ferch ifanc y tu ôl i'r ddesg am Julie Perkins.

'Arhoswch funud, gadewch i fi weld,' meddai'r ferch, gan edrych ar sgrîn y cyfrifiadur o'i blaen. Gafaelodd hi yn y llygoden a'i symud dipyn. Dechreuodd Ben deimlo'n ddiamynedd ond ymladdodd e i gadw ei dymer. Doedd e ddim yn gallu fforddio gadael straen y diwrnodau diwethaf i'w effeithio nawr.

'Mae'n ddrwg gen i,' meddai'r ferch yn sydyn, 'mae hi allan o'r swyddfa am y bore. Bydd hi'n ôl y prynhawn 'ma. Ga i gymryd neges?'

yn frwdfrydig	enthusiastically	cawdel (eg)	mess
brwdfrydedd (eg)	enthusiasm	cyfarwyddiadau (ll)	directions
anghredi-n		llawr (eg) lloriau	floor
iaeth (eb)	disbelief, incredulity	derbynfa (eb)	reception
		gadewch i fi weld	let me see
diawled (ll)	devils, bastards	tymer (eg)	temper
cael ei wynt ato	to get his breath back	fforddio	to afford
		straen (eb)	strain
anwybyddu	to ignore	effeithio	to effect

72

'Na chewch,' ochneidiodd Ben. 'Mae'n bwysig fy mod i'n ei gweld hi ar unwaith. Dych chi'n gwybod ble mae hi?'

'Mae'n ddrwg gen i, mae ei dyddiadur yn dweud ei bod hi allan – dyna i gyd'

'Oes unrhyw un ma sy'n gallu helpu?' gofynnodd Ben yn ddiamynedd. Dechreuodd y ferch edrych yn nerfus. Gallai Ben weld ei hun yn y drych y tu ôl iddi hi, ei wyneb yn gleisiau i gyd. 'Mae'n ddrwg gen i,' meddai fe'n dawelach. 'Mae'n *rhaid* i fi ei gweld hi ar unwaith. Mae hyn yn bwysig.' Yn sydyn, dechreuodd e ddigalonni. Roedd e wedi cyrraedd mor bell â hyn, ac edrychai pethau'n dduach fyth.

'Arhoswch funud,' meddai'r ferch gan godi'r ffôn a deialu rhif byr. 'Efallai y bydd rhywun arall yn gallu helpu. Dych chi'n edrych fel pe byddech chi wedi cael digon o anlwc am un diwrnod,' ychwanegodd hi â gwên fach. 'Helô? Bill? Annette ar y ddesg flaen sy 'ma. Wyt ti'n gwybod ble mae Julie y bore 'ma?'

Gwrandawodd Annette ar y siaradwr ar ben arall y lein am funud. 'O'r gorau, diolch Bill.' Rhoddodd hi'r ffôn i lawr. 'Mae Julie yn mynd i'r Sheraton. Rhywbeth i'w wneud â DeltaNet.'

Suddodd calon Ben. Lawnsiad y DN Connect. Diolchodd e i Annette a throdd e am y lifft. Roedd rhaid iddo fe gyrraedd yno cyn i'r cyfan ddechrau. Yn ôl ar y stryd, suddodd ei galon yn ddyfnach fyth. Roedd y traffig yn drwm, yn rhy drwm iddo fe gyrraedd y Sheraton mewn llai nag awr. Chwiliodd e am orsaf y

---

digalonni	to lose heart, to become disheartened	*duach fyth* *ar ben*	blacker than ever on the end of

Tiwb. Roedd un ar ben arall y stryd a brysiodd e tuag ati hi. Allai fe ddim poeni am ei gar nawr, roedd cyrraedd y Sheraton yn bwysicach, ond wrth iddo fe basio'r car, gallai fe weld dau ddyn mewn siwtiau tywyll yn sefyll wrth ymyl y car. Roedd dau o'r dynion wedi bod yn y car tywyll wrth y fflatiau yn gynharach. Cuddiodd Ben ei hun y gorau gallai ynghanol y bobl oedd ar eu ffordd i'r gwaith a cherddodd e ymlaen tua'r orsaf.

Roedd y tiwb yn orlawn. Rhegodd Ben dan ei anadl sawl gwaith wrth i bobl eraill ei fwrw a'i brocio yn ei asennau â'u penelinoedd. Gwyliodd e'r gorsafoedd yn pasio heibio yn araf iawn. Gyda dim ond dwy orsaf i fynd sylwodd Ben ar y ddau ddyn yn sefyll ar ben arall y cerbyd, y ddau ddyn oedd wrth y car funud yn ôl. Dychrynodd Ben, gan ddifaru iddo fe beidio â bod yn fwy gofalus. Doedd dim llawer y gallai fe ei wneud, yn arbennig gan fod pob modfedd o'i gorff yn teimlo'n boenus erbyn hyn. Ar y llaw arall, doedd dim llawer y gallai'r dynion ei wneud, yn arbennig mewn lle cyhoeddus.

Cyrhaeddodd y trên yr orsaf iawn o'r diwedd a neidiodd Ben ar y platfform. Gwelodd e'r ddau ddyn yn gadael y cerbyd drwy'r drws arall a dechrau cerdded yn gyflym tuag ato fe.

gorlawn	overflowing	*cerbyd (eg)*	carriage
procio	to poke, to prod	*dychryn*	to be frightened
penelin (egb)	elbow	*difaru*	to regret
sylwi ar	to notice	*modfedd (eb)*	inch

13

Edrychodd Ben yn wyllt i bob cyfeiriad. Roedd y ddau ddyn o fewn ugain medr iddo fe ac roedd un ohonyn nhw yn estyn y tu mewn i'w siaced am rywbeth. Yn sydyn, cerddodd dau blismon ar y platfform drwy'r twnnel agosaf.

'Glou!' sgrechiodd Ben gan bwyntio at y ddau ddyn o DeltaNet. Trodd y plismyn a'r rhan fwyaf o'r teithwyr oedd ar y platfform tuag ato. 'Fan 'na!' gwaeddodd Ben, gan bwyntio eto at y ddau ddyn. 'Maen nhw wedi ymosod arna i.' Pwyntiodd Ben at ei wyneb yn wyllt, gan ei droi i ffwrdd dipyn bach fel na allai'r plismyn weld fod y cleisiau ddim yn newydd. Trodd pawb i edrych ar y ddau ddyn a cherddodd y plismyn tuag atyn nhw. Y funud roedd cefnau'r plismyn wedi eu troi tuag ato fe, rhedodd Ben i mewn i'r twnnel a chwilio am y ffordd allan.

Roedd Ben yn dechrau chwysu wrth iddo fe gyrraedd y stryd. Gallai fe weld y Sheraton gyferbyn â'r orsaf diwb. Croesodd e'r ffordd ar unwaith gyda sawl car yn gorfod stopio'n sydyn o'i flaen. Anwybyddodd Ben sŵn y cyrn ac aeth e i mewn i gyntedd y gwesty. Bron ar unwaith, gwelodd e ddyn tal yn gwisgo dillad swyddogol y gwesty.

'Ga i'ch helpu chi, syr?' gofynnodd y dyn yn amheus.

---

yn wyllt	wildly	*teithiwr (eg)*	
medr (eg)	metre	*teithwyr*	traveller
clou	quick	*chwysu*	to sweat
sgrechian	to scream	*corn (eg) cyrn*	horn
y rhan fwyaf	most of	*swyddogol*	official

'Dw i 'ma ar gyfer lawnsiad y DN Connect,' meddai Ben, gan ymladd i reoli'r cryndod yn ei lais.

'Popeth yn iawn,' meddai'r dyn. Trodd Ben i ffwrdd ond siaradodd y dyn eto. 'Ga i weld eich pàs, syr?'

'Pàs?' gofynnodd Ben cyn dechrau edrych drwy ei bocedi, heb wybod yn iawn beth i'w wneud. 'Mae e gyda Julie, Julie Perkins. Dw i 'ma ar ran y Standard.'

'Alla i ddim eich gadael chi i mewn heb bàs, syr,' meddai'r dyn yn dawel. 'Os gwnewch chi ddod at y ddesg dw i'n siŵr y gallwn ni ddatrys y broblem fach hon.' Pwyntiodd y dyn at y ddesg. Edrychodd Ben o amgylch ar y bobl oedd yn dod i mewn i'r gwesty. Yn sydyn, drwy ddrysau'r gwesty, gwelodd e'r ddau ddyn o DeltaNet y tu allan i'r orsaf ar ochr arall y stryd.

'Y ffordd 'ma, syr,' meddai'r dyn, yn fwy cadarn y tro hwn. Trodd Ben i'w ddilyn pan glywodd e lais cyfarwydd.

'Ben!'

Rhedodd Julie Perkins tuag ato gan fflachio pàs swyddogol tuag at y dyn. 'Mae Ben gyda fi, John,' meddai hi gan ddechrau arwain Ben i mewn i'r gwesty. 'Ben, ble ddiawl rwyt ti wedi bod? Maen nhw'n dechrau cyn hir.' Rhoddodd John wên i Julie ac ysgwyd ei ben yn araf cyn troi i gyfarch rhywun arall wrth ddrws y gwesty.

Llusgodd Julie Ben i un ochr, allan o ffordd y bobl. 'Beth rwyt ti'n ei wneud 'ma, Ben?' Edrychodd hi'n agosach ar ei wyneb. 'Beth ddigwyddodd i ti?'

ar gyfer	for	golwg (eb)	appearance
pàs (eg)	pass	arwain	to lead
ar ran	on behalf of	cyfarch	to greet
datrys	to solve	llusgo	to drag
cadarn	firm, strong		

'DeltaNet,' meddai Ben gan estyn am ddisg Alan o'i boced. 'Does gen i ddim amser i esbonio nawr. Cymer y ddisg hon. Gelli di ddinistrio DeltaNet gyda'r wybodaeth.'

'Beta 337?' gofynnodd Julie.

'Ie,' meddai Ben. Edrychodd e o'i amgylch ar y bobl. 'Ble mae'r lawnsiad?'

'Huntingdon Suite,' meddai Julie gan edrych ar ei wats. 'Mewn llai na deng munud. Beth sydd ar y ddisg?'

'Mae'r peth yn anghredadwy. Roedd Rodgers, fy hen fòs i, wedi amau fod rhywbeth o'i le ar y Connect o'r dechrau. Fe oedd yr un ddechreuodd yr ymchwil arall heb i Alan na fi wybod amdano. Ro'n i wedi amau mai Rodgers oedd y tu ôl i'r ymchwil . . .' Oedodd Ben ar hanner ei frawddeg. 'Efallai *bod* Alan yn gwybod rhywbeth am y peth, nawr fy mod i'n meddwl amdano, ond stori arall yw honno.'

'Dw i ddim yn deall,' meddai Julie wrth roi'r ddisg yn ei bag llaw. 'Os oedd y Rodgers 'ma yn gwybod fod y Connect yn gallu niweidio'r defnyddwyr, pam cario ymlaen â'r cynhyrchu?'

'Roedd y cyfan yn fuddsoddiad rhy fawr, ym mhob ystyr y gair, i roi'r gorau i'r datblygu a'r cynhyrchu,' atebodd Ben.

Roedd y bobl yn dechrau mynd i mewn i'r lawnsiad. 'Mae'n rhaid i fi fynd,' meddai Julie. 'Mae'n rhaid i fi ddarllen y ddisg. Ond dw i ddim yn deall pam fod

---

anghredadwy	incredible, unbelievable	*cynhyrchu*	to produce, production
niweidio	to damage	*datblygu*	to develop

DeltaNet yn fodlon mentro popeth dros y Connect, yn arbennig os o'n nhw yn gwybod fod yna niwed – '

'Do'n i ddim yn deall,' torrodd Ben ar ei thraws, 'nes i fi ddarllen Beta 337. Mae corfforaeth arall, un o America, yn mynd i brynu DeltaNet. Bydd y Connect yn codi gwerth DeltaNet ac yn gwneud y pris gwerthu yn llawer uwch. Roedd ymchwil Rodgers yn rhan o drefniadau cudd rhwng DeltaNet a rhai o gyfarwyddwyr y gorfforaeth Americanaidd. Pan fydd y gwir yn dod allan am y Connect bydd gan y prynwyr newydd rywbeth i droi ato.'

'Beth yw'r niwed mae'r Connect yn ei wneud i'r defnyddiwr?' gofynnodd Julie.

'Cancr y glust, leukaemia, niwed i'r ymennydd, mae'r dewis yn fawr.' Tynnodd Ben anadl ddwfn. 'Mae'r Connect yn llawer rhy nerthol i'w roi nesa at y corff dynol.'

'Ond bydd y cyhoeddusrwydd yn ofnadwy,' meddai Julie. 'Methiant fydd y Connect.'

'Na. Bydd DeltaNet yn gallu dod dros y peth. Ac yn y cyfamser, bydd DeltaNet a'r cyfarwyddwyr newydd yn rhannu'r elw o'r pris gwerthu uwch.'

'A beth am y defnyddwyr?'

'Rwyt ti a fi, Julie, yn gwybod yn iawn nad oes gan DeltaNet ddim ots o gwbl am ddim ond eu helw.' Yn y tawelwch, sylwodd Ben fod y coridor yn wag.

Heblaw am y ddau ddyn o DeltaNet.

---

mentro	to venture, risk	cudd	secret
gwerth (eg)	worth, value	ymennydd (eg)	brain
uwch	higher	dynol	human
trefniant (eg)		yn y cyfamser	in the meantime
(trefniadau)	arrangement	elw (eg)	profit

'Cer yn ôl i'r swyddfa, Julie, ar unwaith,' sibrydodd Ben. 'Ysgrifenna'r stori cyn gynted ag y gelli di.'

'Beth amdanat ti?' gofynnodd Julie yn bryderus.

'Paid â phoeni amdana i, meddylia i am rywbeth.'

Dechreuodd y ddau ddyn gerdded tuag at Ben wrth i Julie fynd o'r golwg i lawr coridor arall. Estynnodd un o'r dynion am rywbeth y tu mewn i'w siaced. Wel, doedd ganddo ddim i'w golli nawr, meddyliodd Ben. A dim munud i'w wastraffu.

Gyda sgrech fawr, rhedodd e nerth ei draed tuag at y dynion. Clywodd e glec fawr, ac aeth y byd yn dywyll.

---

cyn gynted â	as soon as	*nerth ei draed*	as fast as he could
mwyach	any more	*clec (eb)*	shot, clatter, snap

EPILOG

Daeth golau yn ôl i fyd Ben, â chlamp o ben tost. Edrychodd e o'i amgylch yn araf. Roedd e'n gorwedd ar wely, ond nid gwely ysbyty y tro hwn. Roedd yn edrych yn debycach i gell carchar. Cododd Ben ac eistedd ar ymyl y gwely. Gallai fe deimlo rhai cleisiau newydd ar draws ei gorff. Edrychodd e am unrhyw niwed arall ond allai fe ddim ffeindio dim.

'Edrych am y fwled?'

Neidiodd Ben wrth glywed y llais. Edrychodd e i fyny i weld Julie yn sefyll yn nrws y gell.

'Chlywais i ddim ohonot ti yn dod i mewn,' meddai Ben.

'Dw i'n synnu y clywaist ti unrhyw beth,' meddai Julie. 'Dw i wedi bod yn aros i'r Sarjant fy ffonio i ers oriau i ddweud dy fod ti ar ddihun ond ro'n i wedi cael digon ar aros. Wyt ti'n cofio beth ddigwyddodd ddoe?'

'Ddoe?' Doedd Ben ddim yn gallu credu'r peth. Ysgydwodd e ei ben yn araf. 'Y peth ola dw i'n ei gofio yw un o ddynion DeltaNet yn estyn am ei wn.'

'Gwn?' Chwarddodd Julie yn uchel. Cerddodd hi i mewn i'r gell ac eistedd ar y gwely wrth ymyl Ben. Rhoddodd hi'r papur newydd roedd hi'n ei gario i un ochr. 'Nid gwn oedd ganddo fe ond ffôn symudol. Roedd e wedi dechrau galw'r heddlu cyn i ti redeg i mewn iddo fe a bwrw dy hun yn anymwybodol. Roedd e'n foi mawr, ti'n gwybod.'

---

clamp o ben tost	an enormous headache	*ymyl* (*egb*)	margin, side
tebycach	more similar	*bwled* (*eb*)	bullet
cell (*eb*)	cell	*ar ddihun*	awake
		anymwybodol	unconscious

'Yr heddlu?' gofynnodd Ben yn ddigalon. 'Felly ces i fy arestio?'

'Do, cest ti dy arestio am darfu ar yr heddwch. A chafodd y DN Connect ei lawnsio heb yr un broblem.'

Ochneidiodd Ben yn uchel. 'Felly mae DeltaNet wedi ennill. Unwaith eto. Ac felly mae hi ar ben arna i, gyda'r cyhuddiad o ysbïo . . .'

'Aros funud, Ben. Ddoe oedd hynny, cofia. Cafodd y Connect ei lawnsio, ond fydd e ddim ar werth.'

'Beth?'

Gwenodd Julie ac estyn am y papur newydd wrth ei hochr. Dangosodd hi'r dudalen flaen i Ben.

Y DN Connect gan DeltaNet: Y peiriant sy'n lladd! DeltaNet yn cyfaddef, cwmni'n colli ei werth ar y farchnad stoc

'Ysgrifennaist ti'r stori!' gwaeddodd Ben.

'Do, diolch i ti,' meddai Julie. 'Ymddangosodd fy stori y bore 'ma, rhai oriau cyn i'r Gwasanaeth Erlyniadau Cyhoeddus gyhoeddi fod ganddyn nhw achos yn erbyn DeltaNet. Cariodd y papurau newydd eraill fy stori yn eu rhifynnau hwyr ac mae'r peth ar bob gorsaf radio a theledu erbyn hyn. Mae hi ar ben ar DeltaNet.'

Plygodd Julie y papur yn ei hanner. 'Wel, am y tro. Mae corfforaethau'n gallu ailymddangos yn y lleoedd rhyfeddaf. Ond mae hanner y Bwrdd Cyfarwyddwyr wedi cael eu harestio, mae 'na achosion cyfreithiol yn

---

rhifyn (eg)		*plygu*	to fold
(*rhifynnau*)	edition, issue	*ailymddangos*	to reappear

81

erbyn y cwmni yn cael eu hailagor ar hyd a lled y byd
. . . Ond dere. Cawn ni siarad dros baned o goffi.'

'Coffi?' gofynnodd Ben yn syn. 'Ond beth am y cyhuddiadau? Yr arestiad?'

'Does dim cyhuddiadau yn dy erbyn di nawr,' meddai Julie â gwên lydan. 'Caiff Alec Giles esbonio i ti. Mae e'n aros yn y car y tu allan. Gyda hanner y wasg, mae arna i ofn. Gobeithio nad wyt ti'n ofni camerâu.'

Cododd Ben yn araf. 'Ar ôl y diwrnodau diwetha, dw i'n ofni dim byd,' meddai fe. 'Dere, dw i'n credu ein bod ni'n haeddu paned o goffi. Beth bynnag rwyt ti'n ei ddweud, mae coffi'n ateb syml i fy mhroblemau i. *Bob* tro.'

Chwarddodd y ddau a cherdded allan o'r gell.

---

ailagor	to reopen	*llydan*	wide
ar hyd a lled		*haeddu*	to deserve
y byd	throughout the world		

NODIADAU

Mae'r rhifau mewn cromfachau (*brackets*) yn cyfeirio at (*refer to*) rif y tudalennau yn y llyfr.

1. Meddai *said*

Mae 'meddai' yn cael ei ddefnyddio ar ôl geiriau sy'n cael eu dyfynnu (*quoted*):

> 'Mae'r byd yn newid yn gyflym,' meddai llais y cyflwynydd unwaith eto. (7)
>
> *'The world is changing quickly,' said the voice of the presenter once again.*

2. gan/wrth

Mae 'gan' a 'wrth' yn cael eu defnyddio i gyfleu gweithred (*to convey an action*) sy'n digwydd yr un pryd â (*the same time as*) gweithred arall; maen nhw'n cyfateb (*correspond*) i 'ing' yn Saesneg:

> Symudodd Donaldson a Griffiths i ffwrdd gan siarad yn dawel (12)
>
> *Donaldson and Griffiths moved away speaking quietly.*

> Chwibanodd e'n dawel i'w hunan wrth aros . . .(14)
>
> *He whistled quietly to himself whilst waiting . . .*

Y mae 'wrth i' yn cyfateb (*correspond*) i '*as*' yn Saesneg:

> Distawodd e'n sydyn wrth iddo fe weld tri dyn yn agosáu atyn nhw. (10)
>
> *He became quiet suddenly as he saw three men approaching them.*

3. Mai

Mae 'mai' yn cael ei ddefnyddio o flaen cymal pwyslais (*emphatic clause*). Efallai eich bod chi wedi dysgu 'taw' os dych chi'n byw yn y De:

> 'A rhaid cofio mai fe sy'n talu'ch cyflog chi.' (11)
>
> *And it must be remembered that it is he who pays your wages.*
>
> Gelli di fod yn siŵr mai ni gaiff y bai. (18)
>
> *You can be sure that it is we who will be blamed.*

4. Gan
Yn yr iaith ffurfiol ac yn iaith y Gogledd, yr arddodiad 'gan' sy'n dynodi meddiant (*denotes possesion*):

Iaith y De   **Iaith y Gogledd**
Mae car 'da fi   Mae gen i gar

Y ffurfiau sy'n cael eu defnyddio yn y nofel hon yw:

gen i	ganddon ni
gen ti	ganddoch chi
ganddo fe	ganddyn nhw
ganddi hi	

'Pe byddai gen i y "rhywbeth" hwnnw, byddwn i wedi ei brintio fe amser hir yn ôl.' (38)
'If I had that "something", I would have printed it a long time ago.'

'Mae gen ti bwynt,' meddai Alan. (28)
'You've got a point,' said Alan.

Mae ganddon ni orchmynion. (29)
We've got orders.

5. Y/Na: Cymal enwol – Noun clause (*that*)
Yn yr amser amodol (*conditional*) a'r amser dyfodol (*future*), 'y' yw'r ffurf ar y cymal enwol. Dyw 'y' ddim yn cael ei ddweud fel arfer ar lafar ond mae'n cael ei gynnwys bob tro mewn arddull ffurfiol:

Does 'na dim y gallwn ni ei wneud am y tro. (20)
There's nothing that we can do for the time being.

Mae'n eitha posib y gall hyd yn oed Rodgers anghofio gwneud rhywbeth. (27/28)
It is quite possible that even Rodgers can forget to do something.

Dw i ddim yn credu y ca i fy swydd yn ôl. (41)
I don't think that I will get my job back.

84

Na yw ffurf negyddol (*negative*) 'y', **nad** yw'r ffurf cyn llafariaid (*vowels*):

> 'Dw i'n awgrymu na ddylai DeltaNet ryddhau'r DN Connect.' (16)
> *I suggest that DeltaNet should not release the DN Connect.*

> Efallai nad ydyn nhw'n honni gormod. (33)
> *Perhaps they are not claimimg too much.*

Mae '**na'/'nad**' hefyd yn negyddu y cymal enwol 'bod' mewn arddull ffurfiol:

> 'Mae'n rhaid i ni fod yn siŵr nad ocs unrhyw berygl i'r defnyddwyr.' (18)
> *We must be sure that there is no danger to the users.*

> 'Ond pam na chlywon ni am yr ymchwil a Beta 337?' gofynnodd Ben. (22)
> *But why did we not hear about the research and Beta 337?' asked Ben.*

> 'Ddwedais i ddim nad o'n i'n amheus.'(28)
> *I didn't say that I was not suspicious.*

6. Amodol – Conditional

Mae llawer o wahanol ffurfiau ar amodol 'bod' (*to be*) yn y Gymraeg. Dyma ffurfiau'r nofel hon:

Byddwn i (I would be)	Bydden ni
Byddet ti	Byddech chi
Byddai fe/hi	Bydden nhw
Pe byddwn i (If I were...) etc.	

> 'Pe byddwn i'n torri ei ben e i ffwrdd, byddai'r pen yn parhau i ddweud "yn union".' (19)
> *If I were to cut his head off, the head would still say "exactly".*

> Ond cyn hir byddai'r lle yn brysur eto. (20)
> *But before long the place would be busy again.*

7. fawr o /yr un

Mae gan 'fawr o' ac 'yr un' ystyr negyddol mewn brawddegau negyddol:

Llawer o siarad yn mynd ymlaen ond fawr mwy na hynny. (35)
A lot of talk going on but not a lot more than that.

Nawr ei bod hi wedi cyrraedd doedd fawr o awydd arno fe
am ryw fân siarad. (36)
Now that she had arrived, he did not desire a lot of small talk.

Doedd y ddau ddim yn gallu cofio yr un cyfeiriad at y ffeil
Beta 337. (25)
Neither could remember one reference to the file Beta 337.

Teitlau eraill yng nghyfres

N O F E L A U **NAWR**

Os gwnaethoch chi fwynhau darllen

DELTANET

cofiwch ofyn am

COBAN MAIR

Gwyneth Carey

BYWYD BLODWEN JONES

Bethan Evans

Bydd mwy o lyfrau yn y gyfres

N O F E L A U **NAWR**

yn dod o'r wasg cyn bo hir.